LES TABERNACLES ANCIENS DU QUÉBEC

DES XVIIe, XVIIIe ET XIXe SIÈCLES

RAYMONDE GAUTHIER

SÉRIE ARTS ET MÉTIERS

MINISTÈRE DES AFFAIRES CULTURELLES
1974

En couverture:
Le tabernacle de
Saint-Jean-Port-Joli

Dépôt légal
1er trimestre 1974
Bibliothèque nationale du Québec

Imprimé au Canada

REMERCIEMENTS

C'est avec plaisir que je remercie ici Monsieur Luc Noppen qui a encouragé cette recherche.

Dans un domaine où il y a tant à faire, j'ai grandement apprécié l'esprit dans lequel travaille le Groupe de recherche en Art du Québec qui a mis à ma disposition les photographies et les documents relatifs à mon travail.

Enfin, au-delà du cadre strict de cette étude, je suis reconnaissante à mes professeurs du programme d'Histoire de l'Art de l'Université Laval, qui m'ont appris à voir et non plus seulement à regarder.

Raymonde Gauthier

PRÉFACE

Les tabernacles anciens du Québec figurent parmi les oeuvres les plus intéressantes de notre patrimoine artistique. Assez curieusement, aucune étude d'ensemble n'avait encore été produite à ce jour sur ce vaste sujet.

Loin d'être définitif ou exhaustif, ce texte fait le point en proposant différentes hypothèses de travail. L'auteur a le mérite d'avoir su regarder les oeuvres avant de les ordonner. Ainsi, les regroupements semblent se faire tout naturellement, en dehors des contraintes d'attributions hâtives et souvent erronées.

On remarquera une prédominance d'exemples empruntés à la grande région de Québec. S'il est vrai que le XVIIIe siècle a particulièrement favorisé ces premières paroisses, le XIXe siècle, quant à lui a laissé une grande quantité d'oeuvres sur l'ensemble du territoire québécois. Ce XIXe siècle mériterait qu'on s'y attarde plus longuement. Si les Baillairgé, autour de Québec, et surtout les sculpteurs de l'atelier de Quévillon, près de Montréal, sont à peine mentionnés, leurs oeuvres pourront faire l'objet d'une étude subséquente, maintenant qu'on arrive à les dissocier des périodes précédentes.

La collection Civilisation du Québec a déjà permis à quelques jeunes auteurs de faire leurs premières armes: je suis du nombre de ceux qui y ont vu un encouragement à continuer leurs études et recherches. C'est avec plaisir que je rédige donc ces quelques lignes en faveur de Raymonde Gauthier, dans la même collection.

Luc Noppen
Professeur d'Art ancien du Québec
Responsable du Groupe de Recherche en Art du Québec.

INTRODUCTION

Au moment où le renouveau liturgique remplace l'autel traditionnel par une table de facture très simple, nous désirons remettre en lumière ces pièces de mobilier religieux qui ont attiré les regards de milliers de croyants au cours des siècles derniers.

Les autels anciens du Québec ne seront pas étudiés pour leur valeur religieuse mais pour leur valeur artistique, parce qu'ils représentent un legs important de l'art ancien du Québec. Ils sont encore nombreux et toujours beaux, même si la tendance présente veut qu'on s'intéresse surtout au mobilier civil des XVIIe, XVIIIe et XIXe siècles québécois.

L'Inventaire des Oeuvres d'Art du Québec en énumère plusieurs centaines; il n'est pas question de les analyser tous, quoique notre étude ait porté sur plus de cent cinquante. Il n'est pas question non plus de les attribuer à tout prix et de les dater avec certitude; trop de documents manquent encore. Il s'agit plutôt de dégager certains courants, de ramener à de plus justes proportions la somme des oeuvres d'un atelier.

Jusqu'à présent, lorsqu'on découvrait un autel antérieur à 1790, on l'attribuait à un des LeVasseur, les livres de comptes des paroisses mentionnant plusieurs fois leurs noms. Si cette pièce était postérieure à 1790, on pensait immédiatement à un Baillairgé. Nous caricaturons à peine. Une étude stylistique sérieuse des différentes oeuvres n'ayant jamais été faite, les historiens les attribuaient à quelque grand nom sans égard à leur style.

D'autre part, on cherchait avant tout à rattacher les oeuvres, les autels en particulier, à un courant français, telle pièce étant du Louis XIV, du Louis XV ou du Louis XVI. Nous expliquerons plus loin que la pureté du style ne semblait pas préoccuper nos artisans outre mesure.

Les autels anciens du Québec, c'est-à-dire ceux qui datent d'avant 1850, sont des ouvrages du plus haut intérêt mais difficiles à étudier.

Même si les livres de comptes des paroisses mentionnent l'achat d'un autel et le nom d'un artisan, rien ne permet de conclure qu'il s'agit de l'oeuvre qu'on a sous les yeux. L'autel a pu être déplacé, transformé, copié, brûlé et remplacé.

Les autels anciens sont des pièces de mobilier non signées qui ont dû traverser les années et surtout les modes. Nous avons vu récemment dans l'atelier d'un peintre, un autel du XVIIe siècle originalement doré à la feuille, recouvert d'une couche de peinture blanche et garni de mauve, la partie supérieure ayant été percée pour l'addition d'une rangée de petites ampoules. Et ce n'est qu'un cas parmi d'autres. Plusieurs autels pourrissent dans les caves des églises. Mais nous y reviendrons.

Pour cette étude stylistique des autels des XVIIe, XVIIIe et XIXe siècles, nous tenterons d'abord de faire le point dans la confusion qui règne autour de ces pièces de mobilier. Nous nous demanderons ce qu'est un autel, puis nous verrons trois grandes époques de l'histoire de l'autel. La première période correspond à peu près à la naissance de l'architecture monumentale, aux années productives de Claude Baillif et de François de Lajoüe, et s'étend de 1690 à 1720, la seconde voit travailler les LeVasseur de 1720 à 1790 et la dernière, les Baillairgé, de 1790 à 1850. Les dates avancées ici servent avant tout à regrouper des oeuvres, mais la chronologie n'est pas un élément de première importance.

Nous retrouvons à la fin de chaque chapitre un tableau récapitulatif qui présente les motifs décorant les autels étudiés. Ces schémas ont servi à la classification des autels; avant de faire l'étude de leur architecture, nous avons étudié leur décoration. Ces tableaux peuvent conduire à une étude iconographique qui complèterait celle-ci.

CHAPITRE I

L'AUTEL: DÉFINITION

Nous désignons aujourd'hui sous le nom d'autel l'ensemble du meuble sur lequel on célèbre le Saint-Sacrifice. Il n'en a pas toujours été ainsi.

La table

Au XVIIe siècle et au XVIIIe siècle, le mot *autel* ne s'appliquait qu'à la table sur laquelle on célébrait la messe. Nous retrouvons souvent dans les livres de comptes, les mots *cadre d'autel* qui désignent une moulure rectangulaire destinée à retenir le parement brodé de la table d'autel. Ce parement ou antependium était habituellement d'une grande richesse. Les françaises immigrées au Canada, surtout les religieuses, étaient de très habiles brodeuses; elles pratiquaient un art qui avait été à l'honneur à la Cour de France. Entremêlant leurs fils de soie de fils d'argent et même d'or, elles produisaient des broderies en relief représentant la Vierge ou les Saints ou même encore des scènes illustrant leur vie dans ce pays, comme on peut le voir dans ce parement d'autel du Village Huron que nous présente Marius Barbeau dans son catalogue «*Trésor des Anciens Jésuites*».[1]

Cette table d'autel des premiers temps de la colonie n'est souvent qu'une caisse de bois sans valeur. Peu importe, elle est entièrement couverte de linges fins et décorée de broderies. Plus tard, à l'époque des Baillairgé, cette table sera remplacée par un *tombeau*, meuble dérivé de la console, et qui sera orné de motifs rocaille et de chérubins ailés.

Le tabernacle

Il n'est pas rare de voir des autels dont la partie basse est un tombeau du XIXe siècle et la partie supérieure, un meuble des siècles antérieurs. Cette partie haute a pris le nom de «*tabernacle*» par extension; ce mot ne désignant à l'origine que l'armoire où sont déposés les ciboires. On l'appliqua ensuite à tout ce qui entourait la custode, c'est-à-dire aux prédelles qui la flanquent et aux ouvrages qui la surmontent. Ce tabernacle est en fait un assemblage; il donne l'impression de former un tout mais il est constitué de plusieurs parties empilées les unes sur les autres ce qui permet, en cas de feu notamment, de le démanteler pour le porter en sécurité.

Examinons tour à tour les différentes parties du tabernacle. La custode est flanquée des prédelles ou gradins, dont le nombre varie de un à trois suivant l'importance du tabernacle, son style et l'époque où il est construit; sur le dernier de ces gradins se développe un ordre qui met en évidence, soit des niches contenant des statues, soit des panneaux décoratifs pleins ou évidés. Le second étage comprend soit une simple tablette destinée à l'exposition de l'ostensoir ou «soleil», soit une armoire pour ranger celui-ci: la monstrance.

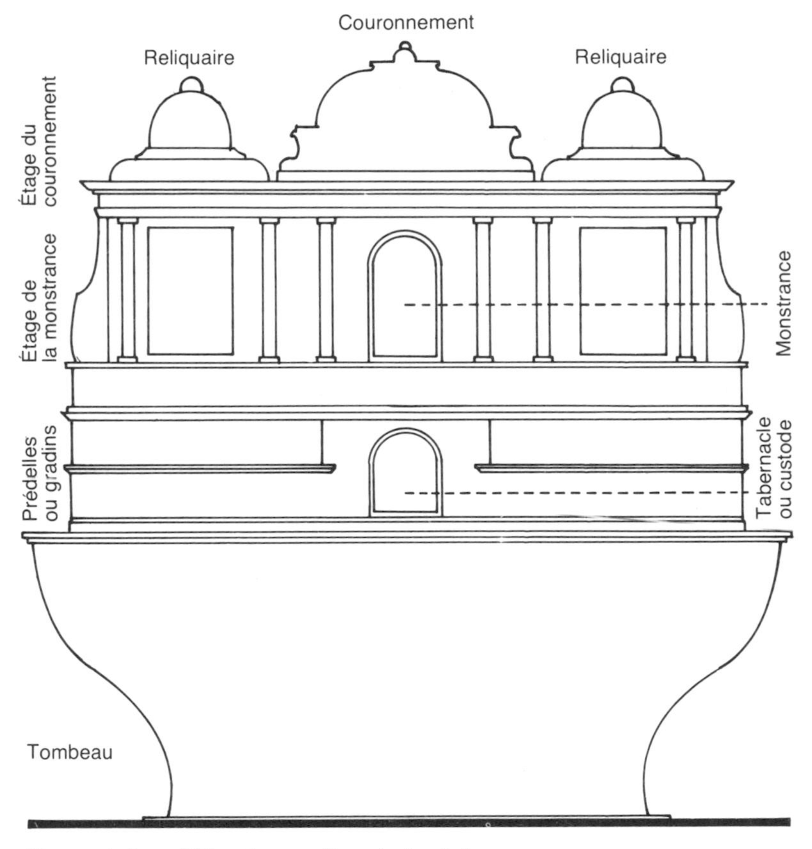

Figure 1: les différentes parties de l'autel.

Enfin, le troisième palier porte en son centre, une niche, un dôme ou un baldaquin, et de chaque côté, des reliquaires d'importance variable. Il est difficile de faire une description convenant à tous les tabernacles fabriqués du début de la colonie jusqu'au commencement de ce siècle; non seulement l'ornementation a varié mais les proportions de ces meubles ont changé. Les reliquaires, par exemple, ont connu plusieurs positions en plus d'avoir été quelquefois, comme à la chapelle des Ursulines, enchâssés dans le tabernacle même. Convenons cependant d'une division en trois parties horizontales; étage de la Réserve Eucharistique, étage de la monstrance et étage du couronnement et des reliquaires. Sur l'axe horizontal, la partie centrale est en ressaut pour marquer son importance.

Le retable

Il est un autre terme que nous n'avons pas encore mentionné, le retable. Jusqu'à la fin du siècle dernier, ce mot a désigné les ouvrages d'architecture ou de sculpture qui ornent le fond du sanctuaire. Attardons-nous sur ce mot pour en faire une étude historique. Dans un ouvrage désormais classique, Victor-Lucien Tapié[2] rappelle que le retable existait déjà au Moyen-Âge. Mais la Contre-Réforme a littéralement exalté le retable jusqu'à en faire un résumé de l'enseignement de l'Église, associant dans un même esprit, les statues, les tableaux, les cierges et les fleurs et naturellement, l'autel où se déroule le Sacrifice. Le retable sera donc «un petit traité d'histoire et de doctrines religieuses»[2]; il prendra une importance considérable dans les provinces de l'ouest de la France, lieu d'origine d'une forte proportion de nos ancêtres. Il est donc normal que l'Église de la Nouvelle-France ait reproduit cette organisation architecturale et décorative là où elle le pouvait, comme à la Chapelle des Jésuites, celle des Ursulines ou celle des Récollets. Mais dans les paroisses pauvres qu'en était-il? Une étude approfondie des livres de comptes des paroisses nous apprendra sans doute beaucoup de choses à ce sujet, mais il semble que, dans les cas où, surtout pour des raisons financières, il a été impossible de construire et de décorer un retable, on a d'abord commandé un tabernacle. Ce tabernacle pouvait être fait spécialement pour la paroisse ou acheté d'une autre paroisse qui désirait changer le sien. C'est ainsi que certains tabernacles ont accompli des périples importants avant de revenir très près de leur point de départ.

Le tabernacle est donc un retable miniature; on le transporte, on l'installe là où le besoin s'en fait sentir. Il présente un enseignement religieux concret à des fidèles qui, s'ils ne sont pas analphabètes, sont souvent peut intéressés par les problèmes de l'esprit.

Importance du tabernacle

Le tabernacle, habituellement doré à la feuille, scintille dans cet espace faiblement éclairé qu'est le choeur de l'église. Il appelle tous les regards et concentre les enseignements religieux correspondant au type de religion proposé par les Jésuites de la Contre-Réforme partout à travers le monde. La religion en est une de gloire; elle met en évidence la magnificence de Dieu et rejoint par là l'idée monarchique. D'ailleurs, si nous examinons en détail les motifs décoratifs ornant les tabernacles, on s'aperçoit que les consoles, volutes, enroulements et autres ne sont pas spécialement des motifs religieux. On retrouve les mêmes sous Louis XIV, la Régence ou Louis XV dans les meubles civils. Seuls les motifs de la custode et de la monstrance sont religieux. Il s'agit surtout de ciboires, brûle-parfums, ostensoirs, représentations du Bon-Pasteur, de l'Agneau ou du Pélican eucharistique. Notons que ces motifs permettent, à un certain stade, l'attribution d'une oeuvre à un artiste ou à un artisan, bien que ce ne soit pas absolu dans tous les cas. Par exemple, le Bon Pasteur imaginé par les Baillairgé ornera presque tous les tabernacles du XIXe siècle; il est devenu à cette époque une sorte de tradition. On avait beaucoup utilisé cette image au XVIIe siècle, le XVIIIe siècle l'avait presque oubliée; elle fait un retour important cent ans plus tard.

Mais ces images sont finalement peu importantes; ce qui fait du tabernacle un ouvrage important c'est la quantité et la qualité de sa décoration. Certaines pièces ont coûté jusqu'à huit cents (800) livres, une fois le prix de la dorure inclus, ce qui était une somme considérable pour l'époque.

Dans les églises nouvellement construites et dont on ne peut exécuter le retable, faute d'argent, le tabernacle est le plus souvent seul à attirer le regard des fidèles. Il est un objet de fierté pour les paroissiens et certaines paroisses se font concurrence sur ce plan.

Dès qu'une paroisse a reçu son tabernacle, les fidèles des paroisses avoisinantes viennent le voir et il arrive qu'on commande, en précisant qu'il devra s'agir d'une oeuvre en tous points semblable à celle-ci. C'est ainsi que nous retrouvons jusqu'au début du XXe siècle, des oeuvres qui se ressemblent beaucoup. On a parlé du mimétisme dans l'art du

Québec, on peut se demander cependant si les artistes et les artisans en étaient véritablement responsables.

L'installation du tabernacle

Nous avons vu que les autels sont composés de différents morceaux posés les uns sur les autres. Ils sont fabriqués ainsi, pièce à pièce, dans l'atelier de l'artisan. Une fois sculptés, on les porte dans une communauté religieuse qui a la charge de la dorure. Au XVIIIe siècle, les Ursulines ont la plupart des contrats; elles seront remplacées par les religieuses de l'Hôpital Général et de l'Hôtel-Dieu un peu plus tard.

Le tabernacle, une fois doré, est acheminé vers la paroisse par la route ou par le fleuve, et il arrive même que des religieuses fassent le voyage pour mettre en place les différents éléments de ce tabernacle. On mentionne souvent dans les livres de comptes, l'achat «d'épingles» destinées à fixer le tabernacle après son arrivée.

Les problèmes posés par l'achat du tabernacle

Il arrive aussi quelquefois que, la dépense ayant été jugée trop forte, la paroisse fasse sculpter un tabernacle et remettre la dorure à plus tard, ou encore qu'elle achète un tabernacle ayant déjà servi dans une autre paroisse et qu'elle en fasse réparer et redorer les parties abîmées. Ceci explique qu'il y ait mention fréquente de sommes versées aux religieuses «pour le tabernacle» en plus des sommes versées au sculpteur pour réparations. Nous verrons au XVIIe siècle un tabernacle illustrant cet énoncé, à Saint-Nicolas. Doré en 1752 par les Ursulines et réparé par les frères LeVasseur, les sculpteurs les plus importants de l'époque, on a cru qu'il avait été entièrement conçu et réalisé en 1752 alors qu'un examen attentif de ses différentes composantes nous apprend que ce tabernacle est de beaucoup antérieur au milieu du XVIIIe siècle. Mais ce cas sera expliqué longuement au chapitre suivant.

D'autre part, il était aussi coutume d'adapter les tabernacles à la mode du jour. Cette mode ne date pas du XXe siècle, elle était courante dans les provinces françaises où on pouvait construire, à côté d'une tour moyenâgeuse une aile de bâtiment qui mettait à l'honneur les règles du classicisme français. Regardons ici quelques exemples. Le tabernacle de Sainte-Anne-de-Beaupré a été haussé en 1759 par un gradin recouvert de motifs de rocaille. Le tabernacle de Saint-Jean-Port-Joli a été transformé vers 1772; on a fait disparaître son dôme ou sa niche de manière à remplacer cette pièce par une coquille qui modifie complètement son allure générale.

Aujourd'hui encore, des transformations malheureuses saccagent des pièces importantes et l'on voit avec stupéfaction des tabernacles surhaussés, percés pour l'installation de custodes métalliques à l'épreuve du feu, dont les gradins servent de support aux microphones. C'est le triste sort réservé à beaucoup de merveilles qui témoignent du talent de nos artistes.

CHAPITRE II:

LES PREMIÈRES OEUVRES DU QUÉBEC (1690-1720)

On croit généralement que les premiers artisans-sculpteurs sont venus à la demande de Monseigneur de Laval vers 1675 pour professer leur art au Séminaire de Québec. Avant leur arrivée, les objets nécessaires au culte, dont les tabernacles, étaient importés de France.

L'installation au pays de plusieurs sculpteurs, tels Samuel Genner, Michel Fauchois, Guillaume Jourdain dit Labrosse et plus tard, de Denys Mallet et Jacques Leblond de Latour, modifia les traditions en cette matière. Monseigneur de Laval les employa dans les nouvelles paroisses entre les années 1685 et 1710 de façon régulière ou intermittente. La sculpture connut ses années les plus productives entre 1695 et 1705 notamment sous l'impulsion de Jacques Leblond de Latour, l'artiste le mieux formé parmi ceux que nous avons cités. On a fort peu insisté sur les oeuvres de ces hommes qui furent sans doute des maîtres de premier ordre, à preuve, les portes de l'ancienne chapelle des Jésuites, aujourd'hui conservées au Musée du Québec, qu'on a attribuées à Denys Mallet (1670-1704).

Le minutier de Maître François Genaple nous livre la description d'un tabernacle que ce Denys Mallet devait exécuter pour les Récollets de Québec en 1693.

« . . . .un tabernacle de bon bois à ce propre et convenable qui sera de dix pieds deux pouces de largeur et de sept pieds de hauteur le dôme compris, bien et dument fabriqué et ouvragé au dire d'ouvriers et gens à ce connoiffans(. . .) le dôme duquel tabernacle fera vollant et pourra s'oster et en la place du Comble dud. tabernacle fera aussi une niche compofée de trois anges qui soutiendront u ne Couronne Royale; et fera aussi cinq figures dans les niches dudit tabernacle.»[3]

De Denys Mallet, on sait également qu'il travailla à la décoration de la chapelle des Jésuites, oeuvre qui semble lui avoir apporté plus de soucis que de gloire, la Compagnie de Jésus exigeant qu'il se soumette à l'examen des maîtres reconnus: Jacques Leblond de Latour et Juconde Drué, récollet. Rappelons que les seuls ouvrages d'importance en sculpture religieuse sous le gouvernement de Frontenac, qui nous sont connus par la gravure, sont les chapelles des Récollets (1693) et des Jésuites (1700).

Sainte-Anne-de-Beaupré

Nous savons que Jacques Leblond de Latour enseignait au Séminaire de Québec. Son rôle ne se limitait pas à la propagation d'une théorie de la sculpture: son enseignement était pratique. C'est durant ses années de professorat que fut exécuté le tabernacle central de Sainte-Anne-de-Beaupré conservé aujourd'hui dans la chapelle commémorative (photo 1).

Ce modèle, que nous ne retrouvons nulle part ailleurs, rappelle par son dôme, l'église du Val-de-Grâce, construite à Paris par François Mansart vers 1660. On sait l'influence de cette construction au Canada sous le Régime Français; les baldaquins ornant le choeur des églises et chapelles, si fréquents à une certaine époque, semblent avoir eu pour origine le désir d'imiter la décoration intérieure de cette célèbre construction. On se rappellera qu'entre 1627 et 1670, furent construites à Paris de nombreuses églises à dômes dont la chapelle du collège des Quatre-Nations et la chapelle de la Sorbonne, outre le Val-de-Grâce dont nous avons déjà parlé. Étant donné l'impossibilité de construire en Nouvelle-France des églises et chapelles imitées de celles qui se construisaient en France à l'époque, on a fait des adaptations, des miniatures, qui ont servi à la décoration du maître-autel, tout comme on a transposé dans le choeur, le décor de ces grandes façades françaises.

Ce tabernacle de Sainte-Anne-de-Beaupré est une oeuvre très importante par les caractéristiques de son architecture et la qualité de son ornementation. Il n'en sera pas toujours ainsi des tabernacles fabriqués par la suite. Autant que l'on sache, le plan de ce tabernacle ne sera pas repris. De bonnes proportions, il se divise en cinq travées horizontales. La monstrance et la custode forment un édicule à fronton en hémicycle; aux deux extrémités, soutenant les reliquaires, deux édicules à frontons triangulaires. Reliant les trois parties projetées par l'avant, des panneaux peu ornés où se détache un ordre soutenant une balustrade de faible dimension. Couronnant le tout, le dôme qui reprend l'ornementation de roses d'abord aperçue sur les panneaux, et deux anges qui ont pu servir eux aussi à soutenir une couronne en l'absence du dôme. Le tout forme un curieux mélange, surtout si l'on considère qu'en 1759, on a cru bon le hausser à l'aide d'un autre gradin, celui-ci recouvert de motifs de rocaille à la mode du jour.

L'Ange-Gardien

Vers 1695, ce même sculpteur conçoit le retable de l'Ange-Gardien dont les colonnes enveloppées d'une lourde guirlande de roses révèlent une merveilleuse maîtrise du ciseau. Il est fort probable que Leblond de Latour met ses élèves à contribution pour l'exécution de la commande d'une paroisse. Sous la gouverne du maître, on exécute donc aussi le tabernacle central de l'Ange-Gardien (photo 2).

Ce tabernacle entièrement doré porte la marque du XVIIIe siècle français. Lourdement orné, il porte neuf niches destinées à contenir des statuettes et est surmonté d'une niche à dôme flanquée de deux autres assez importantes en volume, servant de reliquaires et soutenus par des consoles. Sur les gradins, un lourd entrelac de blé et de vignes au premier étage et des rinceaux de feuilles d'acanthe au second. Comme à Sainte-Anne-de-Beaupré, on retrouvera une niche à la porte de la monstrance et un ciboire couronné d'une hostie rayonnante sur la porte de la custode. Mais l'ordonnance générale s'est beaucoup modifiée par rapport au tabernacle précédent, même si nous trouvons une certaine parenté dans les deux oeuvres qu'on dit être de noyer plutôt que de pin blanc.

La chapelle des Soeurs du Bon-Pasteur de Québec

C'est une pièce tout-à-fait semblable qu'on retrouve actuellement à la chapelle des Soeurs du Bon-Pasteur de Québec et qu'on a attribuée, probablement à tort, à Pierre-Noël LeVasseur. En effet, il a la même silhouette que celui de l'Ange-Gardien, des proportions semblables, et ses motifs décoratifs ont une certaine parenté avec ceux du tabernacle que nous venons d'examiner. Un détail qu'il serait bon de voir sur les deux tabernacles: la décoration des consoles (photo 3).

Selon Gérard Morisset (I.O.A.), ce tabernacle proviendrait de Lotbinière, paroisse pour laquelle il aurait été acheté entre 1725 et 1735 par le seigneur de Lotbinière, archidiacre continuellement retenu à Québec. Sachant que l'usage voulait qu'on expédie en province, pays de mission, ce qui était considéré comme démodé dans la capitale, nous pouvons dire sans trop de crainte de se tromper, qu'il s'agissait d'un tabernacle usagé.[4] Ce tabernacle ayant été fortement altéré au cours des siècles, il apparaît difficile de le comparer à celui de l'Ange-Gardien. Oublions les prédelles, la porte de la monstrance et celle de la custode, parties refaites à neuf, pour n'envisager que la partie supérieure. Peut-être ne s'agit-il pas d'une oeuvre de Jacques Leblond de Latour ou de ses élèves, mais ce tabernacle est certainement de la même époque.

La chapelle des Ursulines

Le tabernacle de la chapelle des Ursulines avait été attribué à Pierre-Noël LeVasseur et daté, comme l'ensemble du retable de cette chapelle, de 1732-1736. L'insertion de ce tabernacle dans la succession des tabernacles des LeVasseur nous a paru impossible et ceci dès le premier coup d'oeil. Comment un atelier de sculpture qui avait produit le tabernacle de l'Hôpital Général en 1721 et celui de l'Islet en 1728, pouvait-il revenir à des modèles antérieurs, semblables à ceux qu'utilisait Jacques Leblond de Latour autour de 1700? Ce tabernacle des Ursulines a été longuement décrit par Jean Trudel dans *«Un chef d'oeuvre de l'art ancien du Québec, la chapelle des Ursulines»,* mais n'avait pu être attribué avec certitude à l'auteur du retable. Une publication récente, nous révèle qu'en 1709,[5] la Communauté des Religieuses Ursulines, voyant le piètre état du tabernacle qu'elle possédait, commanda à Jacques Leblond de Latour un tabernacle nouveau, qui pourrait s'insérer dans un nouveau retable plus tard (photo 4).

Dans le tabernacle des Ursulines on ne retrouve pas les mêmes formes que celles utilisées par le même auteur à Sainte-Anne-de-Beaupré. Mais de 1695 à 1709, c'est-à-dire à quatorze ans d'intervalle, il y a évolution. Peut-être quelque tabernacle venu de France a-t-il influencé les styles en usage dans la petite colonie? Le maître-autel des Ursulines et celui de l'Ange-Gardien connaissent la même surcharge dans l'ornementation et la même décoration des consoles. Les niches sont disparues à l'étage de la monstrance mais celle-ci est surmontée, comme à l'Ange-Gardien, d'une niche spacieuse qui sert, soit à l'exposition de l'ostensoir ou *soleil,* soit à l'exposition d'une statue particulièrement vénérée.

Ville-Bélair

L'oeuvre intermédiaire entre le tabernacle de l'Ange-Gardien et celui de la chapelle des Ursulines pourrait être le tabernacle conservé à la paroisse Saint-Gérard de Ville-Bélair et qu'on dit provenir de l'Ancienne-Lorette. Les documents manquent cependant pour prouver cette assertion. Si nous le comparons au tabernacle de la chapelle des Ursulines, nous sommes frappés par la similitude de certains de leurs traits (photo 5).

La silhouette générale d'abord; il s'agit ici encore d'un tabernacle dont les reliquaires ont été incorporés au troisième étage pour former une masse plus compacte de chaque côté de la niche centrale. L'ornementation est également très voisine de celle du tabernacle des Ursulines; comparons les enroulements de feuilles d'acanthe sur les prédelles, les motifs de chaque côté de la monstrance, les reliquaires et le couronnement. L'ordre est formé de doubles colonnes là aussi, mais les thèmes religieux ornant les portes des monstrances sont différents. Il s'agit dans le cas du tabernacle de Ville-Bélair, d'un ostensoir, et dans celui de la chapelle des Ursulines d'une figure du Bon Pasteur.

L'essentiel de notre propos dans ce chapitre est de prouver qu'il existe encore quelques tabernacles de la fin du XVIIe siècle dans la région de Québec et peut-être dans celles de Montréal et de Trois-Rivières. Cependant, dès qu'il s'agit d'une pièce nettement antérieure au XIXe siècle, on l'attribue facilement à l'un des LeVasseur et on la date arbitrairement. La présence constante du nom des LeVasseur dans les livres de comptes des paroisses de la région de Québec et même de Montréal, a évidemment facilité ce procédé. Mais rappelons-nous que les autels étant composés de pièces très mobiles, il était facile de les expédier dans des paroisses nouvellement fondées ou d'assembler leurs différentes parties suivant les besoins; ceci n'a pas aidé les chercheurs avides d'attributions.

Une énigme: Saint-Onésime de Kamouraska

Nous savons très peu de choses des artisans actifs vers la fin du XVIIe siècle et au début du XVIIIe; quelques grands noms s'imposent, celui de Jacques Leblond de Latour évidemment mais plusieurs autres restent encore inconnus. Qui est l'auteur par exemple, du tabernacle de Saint-Onésime de Kamouraska détruit par le feu récemment? Ses proportions rappellent étrangement celles du tabernacle des Ursulines et son couronnement repose sur une niche marquée de trois fleurs de lys et d'une croix de Malte. Cette oeuvre se rattache à la période étudiée dans ce chapitre, ne serait-ce que par le déploiement de son ordre dont les colonnes sont ornées au tiers de leur hauteur d'une guirlande manquant de relief et de mouvement (photo 6). Gérard Morisset (I.O.A.) l'a attribué tour à tour à Jean Baillairgé et à François-Noël LeVasseur (1746-1747) parce qu'il provenait de Sainte-Anne-de-la-Pocatière. Est-ce qu'il ne s'agirait pas plutôt d'un tabernacle qui a été remplacé en 1746 par une oeuvre des LeVasseur? Une oeuvre qui, au coeur du XVIIIe siècle, était considérée comme démodée?

Deux sortes de tabernacles nous sont restés de cette première période, les oeuvres magistrales comme celles que nous venons de décrire et d'autres oeuvres plus simples destinées aux paroisses moins fortunées ou devant servir d'autel latéral. Certains de ces tabernacles ne sont que des ouvrages de menuiserie. Sur un fond plat se découpent la monstrance et la custode, formant un trapèze isocèle. La mouluration est des plus simples et le décor sculpté n'occupe que peu d'espace sur les gradins ou l'étage de la monstrance. Ces tabernacles comportent un grand nombre de surfaces planes qui n'étaient pas dorées mais peintes en blanc pour des raisons d'économie.

Une oeuvre plus simple conservée au Musée du Séminaire

Regardons une oeuvre attribuée encore une fois à Jacques Leblond de Latour et datée de 1702, oeuvre qui se trouve au Musée du Séminaire de Québec (photo 7). Le modèle est simple et des mains qui ne sont pas encore très habiles ont pu l'exécuter. La fabrication a pu s'opérer en plusieurs temps; menuiserie dans un atelier, sculpture des motifs ornementaux dans un autre. On a pu ainsi travailler en petite série et exécuter plusieurs meubles du même genre. Des tabernacles du XVIIe siècle, il a l'allure générale. Ce qui est le plus évident: la niche centrale et les deux niches latérales qui, cette fois, ne servent pas de reliquaires. L'entablement soutenu par l'ordre forme un hémicycle au-dessus de la porte de la monstrance; celle-ci est encadrée de culots repris sur les panneaux, comme à Saint-Gérard de Ville-Bélair ou à la chapelle des Ursulines. Le tournesol, fleur de soleil, est partout présent mais mieux qu'ailleurs il se détache, car il est posé sur un fond blanc.

Deux autres oeuvres de facture fort différente se retrouvent aujourd'hui à Saint-Étienne-de-Lévis et à Saint-Jean-Port-Joli et pourtant elles ont des points de ressemblance avec l'important tabernacle de l'Ange-Gardien.

Le tabernacle de Saint-Étienne-de-Lévis

Le vieux tabernacle de Saint-Étienne-de-Lévis attribué à François-Noël et Jean-Baptiste-Antoine LeVasseur et daté de 1749-1751 n'a aucune parenté avec les oeuvres du XVIIIe siècle de la région de Québec (photo 8). Il est d'allure imposante; on y voit à l'étage supérieur, les trois niches semblables à celles que nous avons vues au tabernacle du Musée du Séminaire, les consoles du tabernacle de l'Ange-Gardien, le motif sculpté sur la porte de la custode de la Chapelle des Ursulines, les niches à coquilles de l'étage de la monstrance de Ville-Bélair. Un amalgame, en somme. Des recherches aux archives nous apprennent que dans les comptes de Saint-Nicolas, paroisse pour laquelle ce tabernacle aurait été conçu et exécuté, aux dates de 1749 à 1752, il n'est pas précisé quels ouvrages ont été exécutés dans l'église par les frères LeVasseur. Ceux-ci avaient certainement fait le retable mais du tabernacle, point de mention, sauf en ce qui concerne la dorure exécutée par les Ursulines en 1752. Un petit indice seulement, la mention d'un don de 25 livres fait par testament à la paroisse de Saint-Nicolas par Nicolas Pré[6] en 1702, don qui devait servir soit à l'édification de l'église ou à l'ornementation de celle-ci. Vingt-cinq (25) livres est une bien petite somme, mais elle indique qu'en 1702 des travaux étaient effectués à l'église de Saint-Nicolas. Si on se rappelle l'importance du tabernacle pour une paroisse, ne serait-il pas possible de faire le lien entre cette date de 1702 et le style du tabernacle qui semble lui aussi bien correspondre à cette époque dominée par Jacques Leblond de Latour? L'examen du tableau récapitulatif servira peut-être aussi de preuve à cette attribution.

Une autre énigme, celle du tabernacle de Saint-Jean-Port-Joli (photo 9). Nous en reparlerons plus à fond dans le chapitre consacré aux frères LeVasseur, mais il semble fort qu'il s'agisse ici d'une oeuvre ancienne qui a été modifiée et presque entièrement reconstruite vers 1772 par les fameux sculpteurs au moment où la mode des tabernacles affectant la forme d'un portique s'est étendue sur la rive sud du fleuve. Examinons les prédelles à médaillons aveugles, les consoles flanquant la custode, les motifs de cette custode ainsi que de la porte de la monstrance, les panneaux de l'étage central et surtout la différence des motifs ornementaux sous la porte de la monstrance. Le fait que cette oeuvre emploie un tout autre vocabulaire ornemental n'est pas sans nous convaincre que là encore il s'agit d'une oeuvre remaniée et non créée au XVIIIe siècle.

Comme on le voit, la région de Québec a conservé plusieurs tabernacles de la fin du XVIIe siècle, oeuvres qui, presque toutes, ont été attribuées sans examen à l'un ou l'autre des LeVasseur. Il faudrait citer en outre plusieurs tabernacles que nous ne pouvons analyser à fond; celui du Sacré-Coeur à la chapelle des Ursulines ou encore ceux placés au Musée des Ursulines. Il n'est pas possible de les voir tous en détail mais les constantes que nous avons dégagées dans ce chapitre permettront sans doute à l'observateur de les situer et de les attribuer, surtout si des découvertes effectuées dans les archives publiques ou privées peuvent venir corroborer leurs observations.

Serait-il possible qu'aient subsisté au XVIIIe siècle certains modèles très populaires au siècle antérieur? Cela est possible mais peu vraisemblable. Les artisans «suivaient la mode», peut-être avec quelques années de retard, mais ne revenaient pas en arrière. Comme nous le verrons plus tard, les tabernacles forment des groupes suivant l'époque où ils ont été construits; la mode une fois passée, l'artisan ne revient plus en arrière, sauf si une commande l'exige expressément.

D'autre part, rappelons qu'en 1721, année de la création du tabernacle de la chapelle de l'Hôpital Général, il y avait déjà quatre-vingt-deux (82) paroisses en Canada. Plusieurs paroisses étaient évidemment très pauvres et ne pouvaient s'offir un tabernacle neuf ou usagé mais d'autres étaient déjà florissantes et pouvaient passer commande des meubles nécessaires au culte. Il est pratiquement impossible que tous ces tabernacles du XVIIe siècle aient disparu.

Les grands édifices construits antérieurement au XVIIIe étaient certainement dotés de tabernacles ayant une certaine richesse. Rappelons qu'avant 1700 existaient déjà, l'église et le collège des Jésuites (1666), l'église Notre-Dame de Québec (1688-1692), le Palais épiscopal (1693), le Palais de l'Intendant (complété en 1700) et le Palais du Gouverneur (presqu'entièrement complété en 1700). La présence de tabernacles dans les édifices religieux est évidente mais rappelons que les édifices civils étaient aussi dotés de chapelles ou d'oratoires.

Les artisans de l'époque ne nous sont pas encore tous connus; quelques grands noms reviennent constamment. D'autres artisans sans formation artistique poussée ont pu travailler à la demande des curés ou de l'évêque et produire des oeuvres dignes d'intérêt. Ces oeuvres resteront peut-être anonymes.

Première période 1690-1720

Origine	Custode	Monstrance	Couronnement	Prédelles	Étage de la monstrance	Remarques
Sainte-Anne-de-Beaupré Chapelle commémorative 1693	Ciboire voilé complètement	petite niche chérubin	dôme décoré de roses	ouverture en losanges et en hexagones fermées par des verres colorés	deux édicules et absence de panneaux roses	prédelle à motifs rocaille ajoutée en 1759
Ange-Gardien circa 1695	ciboire hostie rayonnante	petite niche	niche à statue	blé-vignes enroulement feuilles d'acanthe	niches à coquilles (9)	
Bon Pasteur provenant de Lotbinière Date?	modifié	modifié	niche à statue	modifié	panneaux niche à coquilles (2)	
Ursulines 1709	ciboire à demi voilé	Bon-Pasteur	niche à statue	médaillons aveugles enroulements avec N	panneaux décorés de fleurs	reliquaire incorporé à l'étage supérieur

Première période 1690-1720 (suite)

Origine	Custode	Monstrance	Couronnement	Prédelles	Étage de la monstrance	Remarques
Ville-Bélair Ancienne-Lorette Date?	Ciboire à demi voilé	Ostensoir ou «soleil»	niche à statues très écrasée	médaillons aveugles feuilles d'acanthe	panneaux décoratifs formant un H	reliquaires incorporés à l'étage supérieur
Musée du Séminaire 1702	Ciboire sans voile	Ostensoir ou «soleil»	niches à statues	enroulements simples feuilles d'acanthe	tournesols avec culots	entièrement blanc avec superposition des motifs
Saint-Étienne de Lévis Saint-Nicolas 1702?	Ciboire à demi voilé	niche à coquille	niche à statue	enroulements médaillons aveugles présence de N	panneaux niches à coquille	
Saint-Jean-Port-Joli Date?	Ciboire à demi voilé	Ostensoir ou «soleil»	modifiée en 1772?	enroulements médaillons aveugles présence de N	panneaux décoratifs	

CHAPITRE III:

L'ADAPTATION AU MILIEU (1720-1790)

Pour les besoins de notre étude, le XVIIIe siècle s'étend de 1721, année de la réalisation du tabernacle de l'Hôpital Général de Québec, à 1783, moment de l'entrée en scène de la famille Baillairgé qui nous donne le tabernacle de Saint-Joachim.

L'année 1721 marque vraiment une étape importante dans l'histoire du Québec. C'est cette année-là que fut faite la première délimitation des paroisses par Benoît-Mathieu Collet, procureur général au Conseil Supérieur.[7] L'année suivante, Collet publia son rapport qui dénombra cinquante-quatre (54) paroisses, treize missions et quinze (15) fiefs, c'est-à-dire quatre-vingt-deux (82) lieux différents où un prêtre était susceptible de célébrer la messe. Cette liste se divise en trois parties suivant que les lieux décrits sont sous l'autorité des gouvernements de Montréal, des Trois-Rivières ou de Québec.

Le territoire du gouvernement de Québec nous intéresse particulièrement; il comprend, toujours en 1721, trente-trois (33) curés, quatre missions et trois fiefs, soit en tout, quarante (40) lieux différents où on peut célébrer la messe, à la fois sur la rive droite et sur la rive gauche du fleuve. Plusieurs paroisses sont donc déjà organisées. L'état des recherches ne nous permet toujours pas de savoir ce que chacune possède comme mobilier car nous possédons peu d'inventaires. D'autre part, l'étude de quelques tabernacles faite au chapitre précédent nous a permis de voir qu'il y avait antérieurement à 1721 un assez grand nombre de pièces importantes. Toutefois, durant cette seconde période, les sculpteurs doteront les nouvelles paroisses de tabernacles ou modifieront les pièces déjà existantes dans les paroisses anciennes.

Les grands sculpteurs du XVIIIe siècle

Les têtes d'affiche de cette période très féconde de l'art ancien du Québec furent évidemment les LeVasseur. Les livres de comptes des paroisses mentionnent principalement les noms de quatre artisans de cette célèbre famille. Il s'agit de Noël (1680-1740), Pierre-Noël (1690-1750?) François-Noël (1702-1794) et Jean-Baptiste-Antoine dit Delort (1717-1777?).[8] Il n'est pas exclu que d'autres membres de cette famille aient participé aux travaux de sculpture dans les paroisses, car les livres de comptes indiquent souvent «payé aux Vasseurs» ou encore «au Sieur LeVasseur sculpteur» sans mention de prénoms. Les prénoms qu'on retrouve le plus souvent sont ceux de Noël, François et Delort, ce dernier prénom connaissant les orthographes les plus fantaisistes.

Dans la région de Québec, nous retrouvons aussi le nom de Jean Valin (1691-1759), un artisan moins fameux et il faut bien le dire, moins habile, qui a cependant exécuté des tabernacles qui ne manquent pas d'intérêt. Ses services étaient offerts à des conditions beaucoup plus avantageuses que ceux des LeVasseur. À la paroisse de Saint-Augustin (Portneuf) notamment, il permit un paiement étendu sur sept ans. Mais nous en reparlerons.

Dans la région de Montréal, c'est Guillaume Jourdain dit Labrosse (1697-1769) qui réalise la plupart des commandes des paroisses tandis qu'à Trois-Rivières, Gilles Bolvin (1711-1766) est le grand maître.

Nous verrons chacun de ces sculpteurs en particulier au cours du chapitre qui suit; nous examinerons les tabernacles qu'ils ont conçus et réalisés chacun dans sa région, nous tenterons de les comparer, encore que cela soit difficile, chacun ayant un style qui lui est tout-à-fait particulier.

Qui étaient les LeVasseur?

Les premiers LeVasseur arrivés en Nouvelle-France venaient de Paris. Il s'agissait des frères Jean dit Lavigne (1622-1686) et Pierre (1629-mort après 1689) tous deux maîtres-menuisiers. En 1657, Jean LeVasseur dit Lavigne se voit déjà octroyer un contrat de menuiserie par les marguilliers de la paroisse Notre-Dame de Québec; à ce même contrat est accolée la charge de «clerc de la paroisse».

Les LeVasseur des deux premières générations furent maîtres-menuisiers. Ce n'est qu'à la troisième génération qu'apparaît le titre de sculpteur. Noël, petit-fils de Jean dit Lavigne et Pierre Noël, petit-fils de Pierre, deviennent sculpteurs on ne sait comment. Le plus simple serait de croire que chargé, suivant les contrats de l'époque, à la fois de la conception architecturale des pièces et de leur sculpture sur bois, ils ont trouvé plus noble de se dire sculpteur, puisqu'ils savaient manier les arts du dessin, de l'architecture et de la sculpture.

Pour les besoins de notre étude, Noël et Pierre-Noël LeVasseur deviennent les anciens. Suivant la coutume française, ce sont eux qui dirigent le ou les ateliers de sculpture où travaillaient leurs fils et leurs neveux. On ne sait pas encore si ces cousins dont les talents étaient différents, travaillaient dans le même atelier. Cela est peu probable cependant car les manuscrits que nous possédons veulent qu'à la mort de Noël (1740), ses fils François-Noël et Jean-Baptiste-Antoine de Delort aient été les seuls à lui succéder. Le fils de Pierre-Noël, Charles (1723-?) qui était aussi sculpteur ne semble pas avoir fait partie de cet atelier.

Noël LeVasseur et Pierre-Noël ont probablement fréquenté les artisans du Séminaire de Mgr de Laval parmi lesquels Jacques Leblond de Latour exerçait une forte influence. Cette école détenait un quasi monopole sur les manifestations artistiques de la colonie. Jusque vers 1710-1715, Jacques Leblond de Latour est présent partout; le tabernacle de la chapelle des Ursulines en est une preuve. Il n'est pas question, à cette époque, pour un artisan qui a une formation de menuisier, de lui faire concurrence. On doit attendre sa disparition; il meurt en 1715. Désormais, la colonie ne compte plus d'artistes formés en France, elle doit s'en remettre à des artisans du pays, si elle veut subvenir à ses propres besoins en matière de décoration et de mobilier d'église.

Un seul connaisseur reste encore à Québec, Juconde Drué, le récollet qui a servi d'arbitre, avec Jacques Leblond de Latour, lors de la querelle qui opposa les Jésuites à Denys Mallet; c'est sous sa direction que Noël LeVasseur exécute son premier tabernacle, celui de l'Hôpital Général de Québec, en 1721.[9]

Le tabernacle de l'Hôpital Général

Le tabernacle de la chapelle Notre-Dame-des-Anges de l'Hôpital Général (photos 10 et 11) représente une révolution par rapport à ce qui s'était fait antérieurement en Nouvelle-France. D'une légèreté presque aérienne, il se distingue des tabernacles précédents par ses proportions, certes, mais surtout par ce mouvement qui met en évidence la custode et la monstrance. Alors que les tabernacles antérieurs sont plats, ceux de cette période sont animés. De la monstrance partent deux ailes semi-circulaires décorées de statuettes ou de panneaux. Cette animation du meuble correspond bien au Louis XV qui se développe en France à cette époque. Le Louis XIV était rigide, majestueux, le style nouveau sera plus léger, plus gracieux. Pour bien comprendre les différences, il suffit de placer côte-à-côte, le tabernacle des Ursulines et celui de l'Hôpital Général.

Une seule prédelle ornée de feuilles d'acanthe flanque la custode. Au-dessus de cette custode, une monstrance encadrée de dix colonnes soutenant un entablement qui se modifie en hémicycle pour contourner la porte. De chaque côté, et comme indépendante du système central, une série de huit niches contenant des statuettes, surmontée de trois étages de motifs ajourés. L'ensemble est couronné d'un dôme comprenant lui aussi des niches à statuettes dans le style du Val-de-Grâce.

Ce tabernacle est beaucoup plus près des modèles français. Très simples, les tabernacles français ne sont en réalité que des custodes de grande dimension posées sur des tombeaux à la romaine. Sur ce tombeau, les grands chandeliers sont les seuls à décorer la pièce de mobilier. L'exemple le plus frappant est évidemment le tabernacle de la chapelle de Versailles qui a dû être imité, à plusieurs reprises, en France. Mais ce tabernacle de la chapelle de Versailles n'est pas de métal ou de bois doré, mais de marbre, sans doute pour mieux s'intégrer à l'ensemble de la décoration de la chapelle du palais.

Le tabernacle de la Jeune-Lorette

De proportions et de facture semblables à celui de la chapelle Notre-Dame-des-Anges de l'Hôpital Général, le tabernacle de la Jeune-Lorette est aussi attribué à Noël LeVasseur, encore qu'on ne possède pas de preuves qu'il en soit véritablement l'auteur. On le date habituellement de 1722, année de la construction de l'église des Hurons. Ce tabernacle n'a qu'une seule prédelle. Au centre, la custode décorée comme à l'Hôpital Général d'un ciboire découvert, la monstrance un peu en retrait flanquée d'un ordre qui se déploie pour former des arcades surmontées de balustrades et des habituelles torchères. Les arcades sont maintenant remplies de panneaux décoratifs ajourés qui semblent avoir été ajoutés à une date ultérieure.

On peut se demander si le tabernacle de la Jeune-Lorette n'est pas une adaptation faite par Noël LeVasseur à partir de celui de l'Hôpital Général, adaptation qui lui aurait permis d'arriver un peu plus tard à ce modèle que son atelier fabriquera presque en série de 1728 à 1749.

Le modèle de l'Islet

En 1728, apparaît un tabernacle dont la formule nouvelle semble plaire à beaucoup de paroisses qui le commanderont tel quel ou légèrement modifié jusque vers 1749 (photo 12).

Il comporte deux gradins, un ordre formé de huit colonnes disposées, de gauche à droite, en 1—1—2—2—1—1— et qui divisent l'espace en panneaux. La monstrance est en ressaut, l'entablement est droit. Au-dessus, un dôme à imbrications surmonté d'un globe et d'une croix. Les reliquaires sont posés de chaque côté, leur dimension et leur style varient d'un tabernacle à l'autre.

Noël LeVasseur utilise des lignes tout-à-fait semblables à Batiscan (1741), Grondines (1742) (photo 13), Saint-Sulpice (1750), et Saint-Vallier de Bellechasse (avant 1754). Tous ces tabernacles sont semblables; ce n'est qu'après analyse sérieuse qu'on découvre que la décoration des prédelles et de l'étage de la monstrance changent suivant les besoins. Sur le tabernacle de Saint-Sulpice, par exemple, on retrouve les «M» entrecroisés particuliers aux Sulpiciens, seigneurs du lieu.

Ces tabernacles semblent avoir été les pièces les plus nombreuses de l'oeuvre des LeVasseur. On ne sait encore quelle part prit Noël, le père, dans leur conception et leur réalisation; il meurt en 1740 et cette série de tabernacles se continue dix ans ou plus après sa mort. Ils sont élégants, sans surcharge, leurs proportions sont agréables; ils marquent le début d'un style qui sera repris au XIXe siècle par la famille des Baillairgé et ses élèves et que nous étudierons plus tard.

Les lignes du tabernacle du XVIIe siècle, telles que conçues par Jacques Leblond de Latour ont été simplifiées, épurées. Les colonnes cannelées en nombre plus restreint soutiennent un entablement à mouluration plus simple. Le plus souvent une balustrade à clairevoie s'interpose entre l'entablement et le dôme, ce qui aide à donner une impression de légèreté.

Le modèle rococo

Le système expliqué plus haut cesse tout-à-coup d'être exploité en 1749 à Sainte-Famille de l'Île d'Orléans. Ici une construction nouvelle apparaît (photo 14). Un ou deux gradins de chaque côté de la custode, disparition de l'armoire de la monstrance et remplacement par une disposition en hémicycle de colonnes d'où partent ce que Traquair et Barbeau appellent des «crêtes de coq» qui se rejoignent pour former un baldaquin surmonté d'une croix.

À Sainte-Famille l'ensemble paraît plutôt dépouillé. L'unique prédelle est recouverte de motifs rocaille, l'ordre sépare des panneaux sans ornementation autre qu'une moulure formant un rectangle et un cercle. Toute la décoration est dans le couronnement vraiment majestueux flanqué de reliquaires très ornés. Pour ajouter à l'élégance et à l'agréable simplicité des lignes de ce tabernacle, on ne l'a pas posé, comme cela se faisait régulièrement au XIXe siècle, sur un tombeau à la romaine mais sur un tombeau rectangulaire orné d'un cadre à motifs rocaille. Gérard Morisset (I.O.A.) affirme qu'au cours de la restauration de 1942, les panneaux verticaux ont été vidés de leurs sculptures. Ces panneaux verticaux ne contenaient que des motifs peints, assez naïvement d'ailleurs, comme l'indiquent d'anciennes photographies.

Les grands tabernacles rococo

Si, à Sainte-Famille, l'ensemble du tabernacle semble plutôt dépouillé, il n'en est pas ainsi des oeuvres qui vont suivre. On gardera les mêmes structures de base mais on couvrira littéralement la pièce de motifs rocaille. Dans les interstices, on cache des fleurs qui ajoutent à la lourdeur. Le grand tabernacle qu'on dit provenir de la chapelle des Jésuites (photo 15) et qui est daté de 1757 est représentatif de cette nouvelle façon de faire. Le tabernacle croule sous les motifs dorés. On peut le voir aujourd'hui au Musée du Séminaire de Québec où il a abouti après de nombreuses pérégrinations.

Et l'atelier des LeVasseur poursuit dans cette même veine à Saint-François de l'Île d'Orléans (1771) (photo 16). Fait à remarquer, le meuble est une pièce de menuiserie assez simple et le décor qui le recouvre est sculpté par sections avant d'y être fixé.

Nous retrouvons le même système à Montmagny (photo 17) dont le grand tabernacle a coûté cinq cent soixante-seize (576) livres pour la seule sculpture. Les proportions de cette pièce sont curieuses; le tabernacle semble s'étirer en hauteur. Il a sans doute été conçu pour orner une église beaucoup moins large.

Les motifs rocaille varient très peu tout au long de cette période. L'artisan peut les fabriquer en série et les disposer irrégulièrement sur les diverses faces du tabernacle. Le rococo exige même la totale absence de symétrie. Si nous examinons le tabernacle de la chapelle des Jésuites fabriqué par les LeVasseur en leur pleine période rococo, nous nous apercevons que l'artisan n'a pu s'empêcher de recourir à la symétrie dans certains endroits. Les grandes crêtes de coq qui flanquent la custode sont rigoureusement symétriques. Il n'en est pas ainsi des prédelles, ni des panneaux de l'étage de la monstrance qui ne se répondent pas.

Un autre tabernacle attribué aux LeVasseur et dont nous n'avons pas parlé, se trouve à Saint-Damase de l'Islet. Il est daté de 1762 par Gérard Morisset (I.O.A.), ce qui est bien peu probable; il aurait plutôt été alors une grande pièce de style rococo.

Les étages des gradins et de la monstrance rappellent les LeVasseur première manière; quant au couronnement qui est en deux parties, il a une certaine parenté avec le vieux tabernacle de Longueuil et celui de Saint-Gérard de Ville-Bélair. Le dôme à lanternon et les tours qui le flanquent ont été ajoutés ultérieurement.

La présence d'anges dont les bras soutiennent une couronne inexistante rappelle la description du tabernacle dont la fabrication avait été confiée à Denys Mallet en 1693 et nous porte à croire que ce tabernacle de Saint-Damase est bien antérieur à 1721. Il aurait pu être réparé ou modifié sous le règne des frères LeVasseur.

Les oeuvres moins importantes

De nombreuses pièces sorties des ateliers des LeVasseur ont disparu, d'autres ont été fortement abîmées par le temps ou, ce qui est pire, par les restaurations. Les noms de ces célèbres sculpteurs sont mentionnés très souvent dans les livres de comptes des paroisses parce que non-satisfaits de créer de nouvelles pièces, ils effectuaient les réparations nombreuses nécessitées par les rigueurs du climat.[10]

Nous retrouverons sans doute la trace d'autres tabernacles des LeVasseur dans les années qui viennent. Rappelons toutefois ici qu'ils ont exécuté des autels latéraux dont un, de style rococo, qu'on peut encore voir à Saint-François de l'Île d'Orléans. (vers 1770).

Un concurrent des LeVasseur: Jean Valin

Au recensement de 1742, soit deux ans après la mort de Noël LeVasseur, Jean-Innocent Valin déclare être maître-sculpteur et père de six enfants vivants. On connaît peu de choses de lui et on a eu tendance à lui attribuer les tabernacles de facture un peu malhabile exécutés au début du XVIIIe siècle dans la région de Québec, lorsque les livres de comptes des paroisses ne mentionnaient pas les noms des LeVasseur.[11]

Il semble que Jean Valin ait été le sculpteur attitré de certaines paroisses et qu'il y ait réalisé toutes sortes de pièces pour les besoins du culte. On retrouve son nom dans les livres de comptes de Saint-Augustin (1733-1747), Saint-Pierre-de-Montmagny (1736-1766), Cap-Santé (1733), les

Écureuils (1743) et Sainte-Croix-de-Lotbinière (1749). Il a sculpté des tabernacles, en a doré, a façonné des garnitures de chandeliers, des cadres d'autels, des statues et bien d'autres choses dont la liste serait trop longue à établir; contrairement aux LeVasseur, il semble qu'il ait travaillé seul, ce qui exigeait une maîtrise de tous les arts. Si on regarde les dates de ses contrats importants, on constate qu'il travailla surtout au moment où Noël LeVasseur achevait de diriger l'atelier et avant que les fils François-Noël et Jean-Baptiste-Antoine aient vraiment fait leurs preuves. Cette époque a été très importante pour le développement des paroisses et les LeVasseur ne pouvaient peut-être pas suffire à la tâche.

Le style de Jean-Innocent Valin est tout-à-fait original. Il n'emprunte rien à ses illustres confrères de la région de Québec. Deux oeuvres nous sont restées qu'on peut lui attribuer avec une quasi certitude: le tabernacle des Écureuils (photo 18) et celui qu'on a retrouvé à Stoneham, dans la sacristie et qui est maintenant au Musée du Séminaire (photo 19).

Parlons de celui des Écureuils d'abord (1743). De belles proportions, il a deux prédelles ornées de rinceaux qui manquent un peu de mouvement. La custode est soulignée par une moulure dans laquelle s'insère un Christ portant sa croix. À l'étage de la monstrance, l'ordre sert à former trois édicules un peu à la manière du tabernacle de Sainte-Anne-de-Beaupré. L'édicule central constitue la monstrance dont la porte est ornée de deux anges adorant un ostensoir. Chacun des édicules est coiffé de volutes servant d'ailes à des chérubins. En guise de couronnement, ce tabernacle comporte une statue de Saint-Jean-Baptiste; deux reliquaires le flanquent. Cette pièce ne ressemble aucunement au premier style LeVasseur qui lui est contemporain. En 1742, l'atelier LeVasseur avait produit le tabernacle de Grondines.

Le second tabernacle que nous désirons décrire n'est pas daté. Il s'agit de celui qui a été retrouvé à Stoneham. Il a deux gradins, une custode ornée d'un ciboire découvert. Sa monstrance ne comporte pas d'armoire; il s'agit d'une simple tablette recouverte d'un dôme en hémicycle créé au-dessus de l'entablement. Cette oeuvre dont nous ne possédons pas la date est beaucoup plus près du tabernacle de Rivière-Ouelle que nous décrirons plus tard, que des oeuvres de la première moitié du XVIIIe siècle exécutées en Nouvelle-France. Les motifs des prédelles, des médaillons aveugles, effectuent un retour en arrière. On a vu ce type de motifs décoratifs à la fin du XVIIe siècle.

Dans le même esprit, il faudrait parler encore du tabernacle qui se trouve au Couvent du Christ-Roi de Lévis et qui proviendrait de Saint-Augustin de Portneuf, où nous avons vu que Valin avait travaillé de 1733 à 1747, avec des intermittences. Cette pièce a certainement été modifiée comme l'ont été le tabernacle latéral gauche de Saint-Augustin, et le tabernacle central de l'église Saint-Pierre-de-Montmagny qui lui, a été saccagé par les restaurateurs.

Les autres sculpteurs

Dans la région de Québec, il faudrait parler encore de Charles Vézina; dans la région de Montréal, des Jourdain dit Labrosse et dans celle des Trois-Rivières, de Gilles Bolvin.

Contentons-nous de rappeler qu'on peut voir dans la chapelle commémorative de Sainte-Anne-de-Beaupré deux tabernacles attribués à Vézina (photo 20) et datés de 1708-1715. Ils sont très près des LeVasseur première manière. Comparons-les au tabernacle de Grondines; les consoles latérales ont été enlevées et le dôme a été remanié, mais l'ordre est identique et la custode porte un agneau vexillaire.

Pour ce qui est du nom de Jourdain dit Labrosse, on sait que c'était celui d'une célèbre famille de sculpteurs de la région de Montréal et que bien peu d'oeuvres peuvent encore témoigner de l'excellence de ses membres. Un vieux tabernacle retrouvé à Longueuil semble pouvoir leur être attribué.[12] Réalisé vers 1724, il a les caractéristiques des tabernacles antérieurs à 1720 telles que nous les avons énumérées au chapitre précédent, dont la modification de l'entablement en un hémicycle contournant la porte de la monstrance.

Gilles Bolvin

L'oeuvre de Gilles Bolvin nous est parvenue beaucoup plus complète du moins en ce qui concerne les tabernacles. Gilles Bolvin est né en Flandres en 1711 et a passé sa vie à Trois-Rivières où il est mort en 1763. On ne sait rien de ses années d'apprentissage mais l'examen des tabernacles qu'il nous a laissés nous révèle des influences flamandes. En 1737, il réalise le tabernacle de Lachenaie que nous décrirons plus loin, en 1745, celui de Boucherville et en 1759, celui de Berthierville.

Les trois pièces ont beaucoup en commun. Le tabernacle de Boucherville (photo 21) est une réplique presque parfaite de celui de Lachenaie. Quant à celui de Berthierville (photo 22), il dénote déjà par la modification de l'étage du couronnement le souci de simplification devenue nécessaire. En effet, les deux premières pièces sont très chargées. Ces tabernacles sont composés de deux gradins recouverts d'entrelacs de fleurs, de feuillages et de fruits très en relief. La porte de la monstrance est ornée d'un soleil entrelacé de tiges de blé; à cet étage, on retrouve des niches contenant des statues de la Vierge et de Saint Joseph. L'étage du couronnement comporte trois sections; la section centrale est un baldaquin. Les reliquaires placés de chaque côté sont en réalité des cartouches élaborés. Le tabernacle entier est un amas de dorure. Sa sculpture a coûté neuf cent trente (930) livres et sa dorure, neuf cent trente-six (936) livres, ce qui constitue la plus grosse somme jamais dépensée pour un tabernacle réalisé en Nouvelle-France au XVIIIe siècle.

Le tabernacle de Berthierville a ceci de différent que son ornementation est moins chargée et que l'étage du couronnement ne comporte pas de baldaquin mais un simple socle destiné à recevoir le crucifix.

Les tabernacles de Gilles Bolvin, comme celui de Longueuil et qui a été attribué à Jourdain dit Labrosse, sont beaucoup plus près des tabernacles du XVIIe siècle que de ceux du XVIIIe. On sent bien ici que les idées nouvelles en matière de sculpture religieuse ornementale passent d'abord par Québec. Seule la région de Québec, par exemple, connaîtra le grand mouvement rococo; celle de Trois-Rivières et de Montréal s'en tiendront à des lignes du XVIIe siècle un peu modifiées, du moins jusqu'à l'arrivée de Liébert et de Quévillon dont nous parlerons plus loin.

Fort curieusement, la matière utilisée séparera aussi les tabernacles par région et par époque. Jacques Leblond de Latour utilise le noyer, les LeVasseur, le pin. Bolvin s'en tient au noyer tel que le stipulent les contrats, les sculpteurs de la région de Montréal aussi. Des recherches plus poussées en cette matière nous permettraient sans doute d'utiliser les données sur le matériau pour dater et attribuer plusieurs tabernacles qui ne le sont pas encore.

Une oeuvre à part: le tabernacle de Rivière-Ouelle

Le tabernacle de Rivière-Ouelle a toujours représenté une énigme pour les spécialistes d'art ancien du Québec. On le dit d'origine française; un examen même superficiel ne saurait démentir cette théorie. Il a été conçu pour une autre église que celle de Rivière-Ouelle. Le curé de cette paroisse l'a acheté à Québec en 1777 pour une somme approchant deux milles livres, ce qui est considérable pour une pièce usagée (photo 23).

«Mais le gros morceau est acheté en 1777; en effet, cette année-là, et l'année suivante, on trouve des dépenses de 409 livres et de 1,500 livres pour le tabernacle. Donc une somme de près de 2,000 livres est allouée pour l'achat d'un tabernacle, à tel point que la Fabrique doit emprunter de Pierre Boucher 300 livres qui manquent pour payer le morceau. On croit qu'il s'agit du tabernacle logé dans le Maître-autel qu'on voit encore dans l'église aujourd'hui. Mgr Têtu prétend que ce Maître-autel était usagé; car il a une valeur artistique de beaucoup supérieure à 2,000 livres; mais nulle part, dans les comptes, il n'est précisé d'où il vient, qui l'a sculpté, qui l'a transporté ou qui l'a érigé. Cependant on sait que l'église fut reconstruite en 1792, et qu'alors le tabernacle a subi des dommages; or, l'année suivante la Fabrique a payé à M. Baillairgé pour le réparer une somme de 500 livres et 62 livres à M. Quévillon pour le dorer . . .»[13]

Ce tabernacle est en bois de chêne massif sculpté dans la masse, on a pu s'en rendre compte au moment de la restauration. Il est composé en forme de portique d'ordre ionique. Le baldaquin du centre formant hémicycle porte sur des colonnes jumelées; il est terminé par une croix émergeant d'une coupole. De chaque côté du baldaquin, les travées sont ornées de roses, de têtes de chérubins et de motifs ornementaux de style Louis XV. Sur les prédelles assez hautes dont seule la première est toute sculptée, sont disposés deux anges adorateurs. À la monstrance, une figure de l'Enfant Jésus tenant une croix et un calice. C'est à notre connaissance le seul tabernacle du XVIIIe siècle utilisant l'ordre ionique. La tradition voulait que l'ordre corinthien soit le seul qui convienne par sa grandeur et son excellence à l'ornementation du mobilier religieux. Ces considérations ont été faites par Louis Jobin vers 1928, ce qui prouve bien le respect de cette tradition au cours des siècles.

Gérard Morisset (I.O.A.) datait ce tabernacle de Rivière-Ouelle des environs de 1765. Au cours de recherches récentes, nous avons découvert dans le Livre des Recettes (1733 à 1789) du Monastère des Augustines de l'Hôtel-Dieu de Québec, la mention suivante en date du mois de juin 1776:

«Reçue de monsieur Parent curée de Larivière Rouel pour un tabernacle que nous luy avons vendüe la somme de 1500#»

Ce tabernacle aurait été reçu de France en 1716 comme l'indiquent les Annales de l'Hôtel-Dieu.

«Nous reçumes, par le même vaisseau qui avait amené Monsieur le Gouverneur, un très beau tabernacle que nous attendions depuis douze ans. Mr de la Joüe, architecte de notre maison, l'avait commandé à Mr Hulot, sculpteur de Monsieur le Duc d'Orléans à Paris, dans le dessein de nous en faire présent [. . .] Depuis ce temps la pour donner plus de graces au tabernacle, nous avons fait faire icy le premier gradin, qui a été doré par les Révérendes Mères Ursulines»[14]

Cette oeuvre française ornait la première chapelle des Augustines de l'Hôtel-Dieu. Sauvé de l'incendie de 1755, il fut vendu vingt ans plus tard, les Augustines ne pouvant l'utiliser en l'absence de chapelle (leur chapelle ne sera reconstruite qu'après 1800).

Ce tabernacle de Rivière-Ouelle a exercé une certaine influence dans sa région au moment de son installation. Des tabernacles à baldaquin voutés en cul-de-four apparaissent entre autres au Cap-Saint-Ignace vers 1850. Ce tabernacle de Saint-Jean-Port-Joli est modifié; il est haussé et modifié au niveau du couronnement qui reçoit une coquille. Ces transformations sont effectuées par les frères LeVasseur à l'époque où les tabernacles qu'ils conçoivent dans leur entier sont encore rococo comme nous le voyons à Montmagny (1775).

Comme nous pouvons le constater au cours de ce chapitre les oeuvres du XVIIIe siècle ne sont pas si nombreuses qu'on l'avait cru au premier abord. Il faut en effet soustraire de leur nombre les oeuvres réalisées avant 1721, créées sous l'impulsion des modèles du XVIIe siècle.

Les LeVasseur n'ont finalement travaillé que dans deux styles distincts, celui de l'Islet (1728) et celui de la chapelle des Jésuites (1751). Plusieurs pièces qu'on croyait de l'époque n'en sont pas. D'autre part, nous n'avons pas fini de découvrir les noms et les oeuvres des autres artisans du XVIIIe siècle canadien; cette première classification aidera sans doute à éclaircir certains mystères.

Deuxième période 1720-1790

Origine	Custode	Monstrance	Couronnement	Prédelles	Étage de la monstrance	Remarques
Hôpital-Général 1722	ciboire sans voile	brûle-parfum	dôme à lanternon	feuilles d'acanthe adossées	niches et statuettes	armoiries épiscopales à l'étage de la custode
L'Islet 1728	ciboire avec hostie	«soleil»	dôme à imbrications	feuilles d'acanthe enroulées vers le centre	niches sans profondeur et motif floral	
Jeune-Lorette 1729	ciboire	motif floral, anges agneau-coeur	balustrade seulement	feuilles d'acanthe adossées	panneaux ajoutés ultérieurement	
Ste-Luce (Rimouski) 1729	ciboire	calice et hostie		enroulements feuilles d'acanthe		autel mutilé
Batiscan 1741	agneau	bouquet de roses	dôme à imbrications	enroulements feuilles d'acanthe	niches sans profondeur bouquet de roses	

Deuxième période 1720-1790 (suite)

Origine	Custode	Monstrance	Couronnement	Prédelles	Étage de la monstrance	Remarques
Grondines 1742		bouquet de roses	dôme à imbrications	enroulements feuilles d'acanthe	motif des prédelles	
Saint-Sulpice circa 1750	agneau	bouquet de roses	dôme à imbrications	enroulement de feuilles d'acanthe	motifs floraux	présence du M
Sainte-Famille 1749		panneau simple	baldaquin	rocaille	panneaux	au XIXe siècle on avait peint les panneaux de motifs religieux
Musée du Séminaire (Stoneham) 1757	pélican	rocaille	baldaquin	rocaille	rocaille	
Saint-François I.O. 1771	pélican	rocaille	baldaquin	rocaille et petites fleurs	rocaille	

Deuxième période 1720-1790 (suite)

Origine	Custode	Monstrance	Couronnement	Prédelles	Étage de la monstrance	Remarques
Saint-Magloire (Saint-François) 1771	récent	modifié	modifié	rocaille et petites fleurs	rocaille	
Montmagny	récent	rocaille	baldaquin	rocaille et petites fleurs	rocaille	
Saint-Vallier de Bellechasse avant 1754 (?)	agneau	bouquet de roses	dôme à imbrications	enroulements feuilles d'acanthe adossées	niches à statuettes	réparé en 1761 les livres de comptes sont postérieurs à 1754.

CHAPITRE IV:

LE RETOUR AUX SOURCES FRANÇAISES (1790-1850)

Au moment où meurt François-Noël LeVasseur, vers 1790, une autre génération d'artisans s'apprête à prendre la relève. La famille de Baillairgé sere reine et maîtresse dans les domaines de la sculpture et de l'architecture, du moins dans la région de Québec, tout au long de cette période qui s'étend de 1790 à 1850. De Jean Baillairgé, menuisier, né en France en 1725, naîtront François (1759-1830) et Pierre-Florent (1761-1812) puis Thomas (1791-1859), fils de François. Un autre Baillairgé, Charles (1840-1906), neveu de Thomas, sera, dans la seconde moitié du XIXe siècle, un architecte prolifique et innovateur.

Avant d'étudier les oeuvres de cette famille et de ses contemporains, voyons un peu quel est le climat artistique de l'époque. La colonie passée aux Anglais depuis 1760 continue, dans un premier temps, de vivre des idées reçues de France avant la Conquête. Nous avons vu au chapitre précédent qu'il n'y a pas de césure dans l'oeuvre des LeVasseur, césure qui pourrait correspondre au changement d'autorité. Le siècle qui suit la Conquête se poursuit suivant les mêmes données et Jean Baillairgé envoie son fils étudier en France sous la direction de Jean-Baptiste Stouff et de Jean-Jacques Lagrenée. D'autre part, le petit groupe qui a connu les derniers LeVasseur reste assez uni; il comprend outre Jean Baillairgé, l'orfèvre François Ranvoyzé, les peintres Louis-Chrétien de Heer et William van Moll Berczy ainsi qu'un autre menuisier, Pierre Émond, pour ne citer que les plus importants.

Une période de transition: Pierre Émond

Entre les deux familles, celle des LeVasseur et celle des Baillairgé, existe une certaine période de flottement. Les derniers grands tabernacles de François-Noël LeVasseur sont datés des environs de 1775; si l'on met à part le tabernacle de Saint-Joachim qui continue la tradition du XVIIIe siècle, ce n'est pas avant 1793, à la Basilique Notre-Dame-de-Québec, que commence véritablement l'oeuvre des Baillairgé. Entre les deux grandes époques, se place un menuisier de profession qui, même si ses oeuvres sont assez limitées en nombre, a fait un travail plus qu'honnête.

Pierre Émond travaille à l'Hôpital Général de Québec de 1769 à 1780 où il réalise, entre autres, le tabernacle de l'autel latéral dit du Saint-Coeur-de-Marie.[15] On retrouve son nom dans les livres de comptes de Saint-Joachim en 1782 pour le paiement d'un tabernacle[16]. En 1785, il fait pour le Séminaire de Québec le tabernacle et le retable de la chapelle de Monseigneur Briand[17]. On retrouve encore son nom en 1795 et en 1800, à Saint-Pierre de l'Île d'Orléans[18].

Le tabernacle que nous désirons étudier ici est assez caractéristique de la manière de Pierre Émond (photo 24), il s'agit de celui de l'Hôpital Général. On se rend bien compte, au premier abord, qu'il s'agit plus d'une oeuvre de menuiserie que d'une oeuvre de sculpture. La custode n'est flanquée que d'une prédelle, il n'y a pas de monstrance et pas d'ordre; au-dessus de la custode est placé, très plat, un cadre orné de motifs asymétriques assez simples; de chaque côté, une petite balustrade ornée de pots de fleurs. Il est évident que ce tabernacle latéral a été conçu pour s'appareiller au tabernacle central ce qui permet de voir quel genre de travail était demandé à ce menuisier demeuré si longtemps au service de l'Hôpital Général. Le tabernacle de la chapelle de Mgr Briand est conçu suivant les mêmes données.

Le travail de Pierre Émond est beaucoup plus proche de celui de Philippe Liébert qui travaille à Montréal au cours du XVIIIe siècle que de celui des LeVasseur qui le précèdent immédiatement.

On sent un vide à cette époque mais ce vide sera de courte durée. François Baillairgé revient de France en 1781 et commence à travailler avec son père Jean et son frère Pierre-Florent.

Les Baillairgé: premiers contrats

Le premier contrat d'importance signé par les Baillairgé concerne la paroisse de Saint-Joachim pour laquelle l'atelier fabrique un tabernacle et six chandeliers en 1783 (photo 25).

Ce tabernacle rappelle tout-à-fait l'ordonnance des pièces du XVIIIe siècle signées LeVasseur; une seule modification, encore qu'il soit possible que cette modification soit récente, la disparition du dôme à imbrications surmontant la monstrance. Mais ce qui est complètement différent, c'est l'ornementation. On est en face d'un vocabulaire tout nouveau. Sur les prédelles fleurissent des liserons, sur les travées de l'étage de la monstrance, des bouquets de feuilles de noyer. C'est la première fois qu'apparaissent des motifs formés de fleurs indigènes sur un tabernacle. La feuille d'acanthe s'enroulant de mille et une manières que nous retrouvions sur tous les tabernacles du XVIIe et du XVIIIe siècles a disparu, définitivement, semble-t-il.

Ce nouveau tabernacle ornemental s'enrichit encore sur les deux tabernacles latéraux de l'église de Saint-Laurent[20] de l'Île d'Orléans maintenant à l'Ange-Gardien (photos 26 et 27), qui ont encore cette ordonnance caractéristique des tabernacles du XVIIIe siècle. Sur l'autel de droite, la prédelle inférieure s'orne de sabots de la Vierge et la prédelle supérieure, d'entrelacs d'asters. À l'étage de la monstrance, sur le stylobate, on trouve des plateaux de fruits d'aspect plutôt naïf, et, sur les panneaux, une série de vases contenant des anémones, des feuilles de vignes, et les fleurs d'un quelconque arbre fruitier. Les consoles sont formées à partir de motifs végétaux. Sur l'autel de gauche, les motifs sont différents et plus difficiles à identifier; à l'étage de la monstrance les fleurs représentées semblent être des pivoines ou des chrysanthèmes de bonne dimension.

À ce moment, c'est-à-dire vers 1788, François Baillairgé travaille en collaboration avec son père. Ce n'est qu'en 1793, au moment de la réfection de l'église Notre-Dame-de-Québec, qu'il se distinguera de lui. On verra alors apparaître un style de tabernacle entièrement nouveau qui trahira la formation française du jeune sculpteur. Mais avant d'aborder ces nouveautés, regardons un peu le travail effectué dans l'atelier du père.

Jean et Pierre-Florent Baillairgé

Le premier tabernacle que nous analyserons se place aux environs de 1790[21] et a été sculpté pour l'église de Maskinongé (photo 28). Ses lignes sont assez voisines de celles du tabernacle de Saint-Joachim, mais il se distingue en ce que les colonnes de son ordre sont torses, détail qui permettra d'attribuer à Jean Baillairgé certains autres tabernacles de même facture. Il comprend cinq travées, quatre contiennent des niches et la cinquième, la porte de la monstrance ornée de la figure du Bon-Pasteur, qu'on retrouvera sur la plupart des tabernacles du XIXe siècle. Sur les prédelles s'enroulent des feuilles de vignes et des feuilles de cerisiers. Sur le stylobate sont sculptés des vases contenant des poiriers nains et dans tous les interstices, des feuilles de cerisiers.

Ce tabernacle est peut-être le plus naïf que nous ayions vu jusqu'ici; il mêle au grandiose de ses colonnes torses le désir de s'adapter aux goûts du pays. Les statues, ainsi que le Bon-Pasteur de la monstrance sont l'oeuvre de François Baillairgé qui, à cette époque, est surtout statuaire.

Nous retrouvons la même ordonnance et presque le même vocabulaire ornemental dans un tabernacle commandé par la paroisse de Saint-Roch-des-Aulnaies en 1792 (photo 29) et qui se trouve aujourd'hui à Sainte-Louise de l'Islet[22]. Il a été surhaussé pour permettre l'introduction d'une custode métallique, ce qui détruit ses proportions. Les quatre statues sont encore ici l'oeuvre de François Baillairgé[23].

Les autels latéraux de Jean Baillairgé et de son fils Pierre-Florent, reprennent avec peu de variantes le modèle de l'église Saint-Laurent de l'Île d'Orléans. Il n'est pas question ici de colonnes torses, ni de niches à statues. La décoration des prédelles est habituellement assez grossière; elle est faite de feuillages se déroulant de la custode vers les extrémités. À l'étage de la monstrance se perpétuent les vases contenant des feuillages divers. Ces tabernacles sont le plus souvent blancs et à peine enrichis de filets de dorure. On les retrouve à Sainte-Famille[24] de l'Île d'Orléans, à Saint-Damase de l'Islet[25], à Sainte-Louise de l'Islet[26], à la chapelle des Soeurs du Bon-Pasteur de Québec[27] et à Saint-Gérard de Ville-Bélair[28].

Fait curieux à noter, l'ordre s'étire avec les années et l'ornementation est de moins en moins dégrossie. Il faut dire qu'à l'époque des dernières oeuvres, Pierre-Florent est seul à la barre, son père mourra en 1805, et il est le moins formé de cette famille d'artisans; il avait d'abord voulu devenir prêtre mais avait abandonné l'étude de la théologie vers 1785. À partir de 1807, il abandonne la sculpture pour entrer au service de la ville de Québec. Il mourra en 1818.

Mais revenons en arrière pour retracer la carrière du plus important des Baillairgé, François.

Le premier tabernacle de François Baillairgé: Notre-Dame de Québec

En 1792, Québec ne compte encore qu'une paroisse: Notre-Dame. L'église nécessitant des transformations majeures, on confie cet important contrat à la famille Baillairgé. Nous n'élaborerons pas ici sur l'ensemble de l'édifice qu'on veut grandiose mais, comme à l'habitude, nous nous concentrerons sur le maître-autel.

Le tabernacle central de Notre-Dame de Québec (photo 30) est révolutionnaire par rapport à tout ce qui s'était fait antérieurement. Il marque l'apparition du vocabulaire néo-classique dans le mobilier d'église et représente un modèle à imiter et à copier dans la région de Québec jusqu'à l'orée du XXe siècle[29].

Nous sommes vraiment en face ici d'une pièce très architecturée. Le tabernacle revient à des lignes et à des angles droits après avoir connu la fantaisie du rococo. L'ordre est toujours corinthien, l'entablement est droit, il se modifie pour former un rectangle à la monstrance. Cet entablement supporte un fronton en hémicycle orné d'un cartouche présentant le JHS cher aux Jésuites. Sur les prédelles, il se divise en panneaux de faible dimension par l'utilisation de refends; à l'étage de la monstrance, nouvelle division en panneaux par l'utilisation de l'ordre, pour la présentation de bas-reliefs représentant d'un côté, le Christ à la colonne et de l'autre, le Christ tourné en dérision. L'ensemble est surmonté d'un dôme à lanternon, flanqué en l'absence de reliquaires à la mode du XVIIIe siècle, de deux autres lanternons[30].

Dans un traité d'architecture de Philibert de l'Orme acheté par François Baillairgé en 1781 et conservé au Séminaire de Québec, traité annoté de la main du sculpteur, nous retrouvons à la page 242 ce qui a pu servir de modèle au tabernacle de Notre-Dame de Québec. L'ouvrage représenté est une porte à fronton circulaire dont la représentation a pu être à l'origine du dessin de la monstrance.

François Baillairgé admet avoir utilisé Philibert de l'Orme comme modèle. Quelques pages auparavant, il précise qu'il a suivi les proportions préconisées par Philibert de l'Orme à la page 235 pour le tabernacle de Notre-Dame de Québec.

«J'ai fait usage de ces sept divisions dans la composition du front du tabernacle du maître-autel de Québec en 1797 et dans celui de la nouvelle Prison de cette ville en 1807.»[31] Sur le tabernacle de Notre-Dame de Québec apparaîtra pour la première fois un programme iconographique qui sera maintes fois repris par la suite.

Une autre étape: Neuville

Ce tabernacle de Notre-Dame de Québec ne tarde pas à exercer une forte influence dans la région. En 1800, la paroisse de Neuville commande un tabernacle à François Baillairgé (photo 31). L'oeuvre est différente de celle de Notre-Dame. L'entablement est toujours droit, mais le fronton est triangulaire. La monstrance de forme trapèzoïdale s'insère entre une colonnade très classique et le fond du tabernacle. Entre les colonnes de l'ordre, n'apparaissent pas de bas-reliefs, mais des reliquaires de forme ovale.

Détail important à remarquer, l'ornementation des prédelles est faite, entre les refends, de cartouches plus Louis XV que néo-classiques, comme si le sculpteur avait consenti à utiliser des motifs plutôt traditionnels pour éviter au spectateur une trop grande surprise[32].

La porte de la monstrance présente une motif d'ostensoir d'un genre nouveau, entouré, à sa base, de nuages plats, tels qu'on en verra souvent, surtout sur les tabernacles de Thomas Baillairgé, fils de François.

Ce tabernacle de Neuville est une pièce très architecturée. Avant 1797, on ne peut pas dire que l'architecture et l'ornementation s'amalgament. Les tabernacles des LeVasseur ainsi que ceux de Jean et Pierre-Florent sont beaucoup plus des assemblages. Ici, c'est-à-dire à Notre-Dame de Québec et à Neuville, les proportions sont étroitement calculées. François Baillairgé est un architecte et ses autels sont des pièces d'architecture plutôt que des pièces de menuiserie dorée.

Le tabernacle central de l'église de Neuville est flanqué de deux tabernacles latéraux[33] du même sculpteur, qui n'ont pas la même richesse que le tabernacle du maître-autel. Ces pièces reprennent de fait des lignes du XVIIIe siècle, seule l'ornementation peut les relier à François Baillairgé, entre autres les feuilles de lauriers entrecroisées répétées si souvent sous l'Empire.

Le modèle traditionnel

Le tabernacle de Beauceville est un heureux amalgame des tabernacles de la basilique Notre-Dame de Québec et de Neuville[34] (photo 32). Il est daté de 1815. François Baillairgé l'a sans doute exécuté avec l'aide de son fils Thomas né en 1791 et qui mourra en 1859.

Ce tabernacle ne comporte que deux prédelles. La première prédelle est de hauteur inhabituelle; on a l'impression qu'elle a été surhaussée; cette modification a pu avoir été effectuée par le sculpteur lui-même ou ultérieurement. Les deux prédelles à refends, sont ornées de motifs de vignes et d'oliviers. À l'étage de la monstrance, l'ordre est corinthien et soutient un entablement droit et un fronton circulaire comme à Notre-

Dame de Québec. Les panneaux de l'entrecolonnement sont ornés des bas-reliefs habituels et il y a toujours présence des deux importants reliquaires de forme ovale, décorés de guirlandes de roses et de rubans. Le dôme couronnant la structure est cependant ici fort différent de celui qui orne le tabernacle de Notre-Dame de Québec. Il est moins élancé, c'est-à-dire plus sphérique à la manière de ceux des LeVasseur. Les petits dômes qui le flanquent à chaque extrémité ne sont plus des reliquaires et ne servent qu'à l'ornementation.

Désormais Thomas Baillairgé fait équipe avec son père François pour la création des maîtres-autels; ils réaliseront ensemble les tabernacles de Louiseville vers 1820, Saint-André de Kamouraska, de 1825 à 1828, Carleton en 1828. Un autre tabernacle, celui de Trois-Pistoles retrouvé récemment est certainement de la même époque; l'état des recherches ne nous permet pas encore de le dater.

Le tabernacle de Louiseville[35] (photo 33) est très orné; deux prédelles à refends ornées de motifs de vignes et d'oliviers, un étage de la monstrance, qui, en plus des trois bas-reliefs traditionnels et des reliquaires ovales, comporte deux panneaux de trophées et, à l'étage du couronnement, retour des lanternons utilisés à Notre-Dame de Québec. Deux petits reliquaires s'ajoutent de chaque côté, au-dessus de l'entablement sur ce qui est destiné à augmenter le tabernacle en hauteur.

Saint-André de Kamouraska[36] n'apporte aucune nouveauté par rapport au précédent. Le tabernacle de Carleton[37] reprend cependant des données beaucoup plus proches de celles de Neuville. Deux prédelles à l'étage de la custode, mais à l'étage de la monstrance, on ajoute un stylobate tout en raccourcissant l'ordre. Absence des bas-reliefs des côtés qui sont ici remplacés par des niches comme à Neuville. L'entablement est coupé à angles droits, le fronton est rectangulaire au-dessus de la monstrance toujours trapèzoïdale. Les panneaux de cette monstrance ne sont plus ornés que d'un coeur rayonnant et le sommet de la porte de la monstrance devient semi-circulaire. Cette porte semi-circulaire se retrouvera dans la plupart des tabernacles signés par Thomas Baillairgé ou par ses élèves au cours du XIXe siècle.

Un tabernacle étrange

La tradition veut qu'un tabernacle aux proportions étranges conservé à l'église de Saint-Bernard de Dorchester[38] (photo 34), soit l'oeuvre de François Baillairgé vers 1815. Il se compose d'un socle assez grossièrement décoré sur lequel sont posés deux anges de grande dimension retenant les plis d'un baldaquin. Sous ce baldaquin, et comme sans rapport avec celui-ci, une custode importante en volume ornée de palmes et de guirlandes de roses. À la porte de cette custode apparaît le traditionnel Bon Pasteur qui fait figure d'insecte à côté des anges soutenant le baldaquin.

Cette pièce semble avoir été conçue pour une occasion spéciale, par exemple, l'exposition prolongée du Saint-Sacrement. Il faudrait refaire l'histoire de nos habitudes en matière de liturgie; cette étude nous permettrait sans doute de comprendre à quoi pouvait servir un meuble comme celui-ci. Peut-être avait-il une certaine utilité lors de la Fête-Dieu ou des Quarante-Heures?

Ce tabernacle n'est cependant pas unique. Thomas Baillairgé a rappelé cette ordonnance, en la simplifiant, dans l'autel de la chapelle de la Congrégation du Séminaire, oeuvre réalisée en 1824.

La relève: Thomas Baillairgé

C'est en 1830 que Thomas Baillairgé entre vraiment en scène. Son père est mort, il est maintenant libre de modifier à sa guise le système créé par François. Le tabernacle de la chapelle de l'Hôtel-Dieu (photo 35) qui date de cette époque sera sa première initiative[39]. Sur les prédelles sont disposés des motifs encadrés. L'ordre de l'étage de la monstrance est sans stylobate. L'entablement coupe à angles droits pour former trois édicules, les édicules latéraux recevant des niches et l'édicule central redivisé en trois sections recevant la monstrance. Le fronton triangulaire qu'utilisait François Baillairgé est ici considérablement rétréci; il ne se déploie plus qu'au-dessus de la porte semi-circulaire de la monstrance. D'autre part, la monstrance elle-même n'est plus trapèzoïdale comme sous François, mais rectangulaire. Le couronnement est encore formé d'un dôme à embrications mais ce dôme voit à sa base une balustrade, des niches et des pots à fleurs un peu à la manière des tabernacles du début du XVIIIe siècle. Les reliquaires de l'étage de la monstrance ont disparu complètement, ils sont remplacés par des trophées; seuls subsistent les lanternons latéraux pour abriter les reliques.

Le système est très semblable à la cathédrale de Rimouski[40] où seule la porte de la monstrance présente une innovation (photo 36). Alors qu'à l'Hôtel-Dieu, cette porte recevait un motif d'ostensoir, la porte du tabernacle de la cathédrale de Rimouski porte un médaillon soutenu par deux angelots disposés sur une série de nuages plats. Le motif de la custode ici comme à l'Hôtel-Dieu est l'Agneau sur le livre des Sept Sceaux, qu'on verra souvent sur les custodes sorties de l'atelier de Thomas Baillairgé.

Une custode de petite dimension entièrement dorée, a été retrouvée récemment à l'Hôtel-Dieu. Les motifs qui l'ornent nous donnent à penser qu'il s'agirait d'une oeuvre de Thomas Baillairgé. Les angelots soutenant un médaillon et la présence de nuages plats rappellent la porte de la monstrance du tabernacle de Rimouski (photo 37). Cette petite armoire a pu servir à des cérémonies spéciales du genre de celles qui se déroulent le Jeudi-Saint, peut-être pour la conservation des Saintes Espèces.

Nous nous contenterons ici de l'analyse de ces deux oeuvres de Thomas Baillairgé, nous satisfaisant de voir en quoi elles diffèrent des oeuvres de son père. Il va de soi que les disciples de Thomas Baillairgé modifièrent encore les conceptions du maître, mais nous ferons plus tard l'étude de cette tradition. Pour l'instant, voyons rapidement, ce qui se faisait dans la région de Montréal à la même époque en regardant en détail un tabernacle sorti de l'atelier de Quévillon.

Les grandes tendances dans la région de Montréal

Louis-Amable Quévillon est né au Sault-au-Récollet en 1749. Il commence à travailler vers 1787, c'est-à-dire un peu après François Baillairgé. À la différence de celui-ci, il est formé au Canada. Il s'associe par contrat à plusieurs autres sculpteurs et son atelier établi aux Écores, c'est-à-dire Saint-Vincent-de-Paul de l'Île Jésus, se rend responsable de l'édification et de la décoration de la majeure partie des édifices religieux de la région de Montréal.

La sculpture sortie des ateliers de Quévillon est en général beaucoup plus ornée que celle des Baillairgé, plus fouillée aussi. On s'ingénie à décorer le plus petit espace. Alors que les tabernacles de François Baillairgé sont des pièces d'architecture, les Quévillon sont beaucoup plus près de la menuiserie, mais ils croulent littéralement sous l'ornementation.

On considère généralement que le style de l'atelier de Quévillon se rattache à Liébert et poursuit une tradition fortement implantée dans la région de Montréal au cours du XVIIIe siècle. Le style est beaucoup plus près du Louis XV que du néo-classique traité par François Baillairgé.

Le tabernacle de St-Grégoire de Nicolet

Le tabernacle que nous considérons maintenant est assez représentatif des autres pièces du même genre exécutées par le même sculpteur ou par les artisans de son atelier (photo 38).

Ce qui frappe d'abord, c'est l'importance de la custode. Elle est massive. Il y a absence de monstrance et le sommet de la custode forme une tablette destinée à la remplacer pour l'exposition de l'ostensoir. Cette custode est ornée de deux consoles formées de motifs de feuillages et sa porte présente le ciboire si courant au XVIIIe siècle. La custode est flanquée de deux prédelles, ornées d'enroulements de feuillages. Sur la dernière se déroule l'ordre dont le stylobate est de proportion importante. L'étage de la monstrance, en l'absence de monstrance proprement dite, est divisé en trois panneaux par les colonnes de l'ordre. Sur chacun de ces panneaux, un bouquet de feuillages, et de chaque côté, des consoles venant rappeler celles qui flanquent la custode. Au dernier étage un simple baldaquin obtenu par l'entablement formant demi-cercle.

Comme on le voit, l'ouvrage est plus simple, il s'agit beaucoup plus d'une sorte de présentoir pour l'exposition du Saint Sacrement, que d'un édifice en miniature présentant un système très structuré. Ce tabernacle est beaucoup plus proche d'une oeuvre des LeVasseur que d'une oeuvre de François Baillairgé. Même les autels latéraux exécutés par Jean Baillairgé et son fils Pierre-Florent sont plus architecturés; leur ornementation a aussi un caractère de nouveauté que n'ont pas les tabernacles de l'école de Quévillon.

La période qui s'étend de 1790 à 1830, période que nous avons explorée au cours de ce chapitre, s'avère donc très différente de celle qui l'a immédiatement précédée. Si dans l'ensemble les proportions des tabernacles n'ont pas été considérablement modifiées, on peut quand même les diviser en deux catégories. La première catégorie continue la tradition du XVIIIe siècle en modifiant simplement l'ornementation; elle pourrait regrouper les oeuvres de Pierre Émond, de Jean et Pierre-Florent Baillairgé. L'autre est le point de départ d'une toute nouvelle tendance; elle inclut les oeuvres de François et Thomas Baillairgé.

Considérons d'abord la première catégorie. Si la compensation de base est semblable à celle du XVIIe siècle, les thèmes ornementaux sont nouveaux et leurs applications aussi. La monstrance qui n'était plus à la période rococo qu'une simple tablette surmontée d'un baldaquin, redevient, du moins dans la région de Québec, une armoire fermée où on conserve l'ostensoir. Mais ce qui surprend surtout c'est la nature de la décoration. La plupart des sculpteurs continuent d'utiliser la colonne cannelée mais Pierre-Florent a recours à la colonne torse qui donne à ses tabernacles un dynamisme nouveau et réduit la sévérité de l'ensemble. Sur les prédelles et sur les panneaux de l'étage de la monstrance, nous retrouvons des motifs nouveaux: coquelicots, liserons, vignes sauvages, cerisiers, petites poires, etc. Les enroulements classiques de feuilles d'acanthe ont disparu et à leur place apparaissent des fleurs et des fruits peu stylisés et présentés, répétons-le, de façon naïve. Peu de relief, peu de régularité et quelque-fois même, absence de symétrie.

Nous avons répété plusieurs fois que les tabernacles de François Baillairgé, et par la suite ceux de Thomas, sont des oeuvres d'architecture beaucoup plus que des ouvrages de menuiserie. Nous ne pouvons évidemment que maintenir cette observation. Même si François Baillairgé utilise des traités d'architecture anciens tel celui de Philibert de l'Orme daté de 1568, on sent son vocabulaire redevable des années passées en France. Il est à l'origine d'un mouvement qui tranche vraiment sur celui qui se développe dans la région de Montréal à la même époque sous la direction de Louis-Amable Quévillon.

Troisième période 1790-1850

Origine	Custode	Monstrance	Couronnement	Prédelles	Étage de la monstrance	Remarques
Autel du St-Coeur-de-Marie **Québec-Hôpital Général**	ciboire			enroulements de feuilles d'acanthe		autel latéral
Chapelle de Mgr Briand **Québec-Séminaire**	aucun motif			motif très simple de feuilles d'oliviers		l'ensemble de la décoration est donné par des branches d'olivier encadrant une toile
Saint-Pierre Île d'Orléans Maître-autel 1795	ostensoir ou «soleil»		baldaquin	feuilles de vignes et d'oliviers	pots de fleurs	
Saint-Pierre Île d'Orléans Autel latéral 1800	ciboire		feuilles d'acanthe croix	feuilles d'acanthe	feuilles s'acanthe	

Troisième période 1790-1850 (suite)

Origine	Custode	Monstrance	Couronnement	Prédelles	Étage de la monstrance	Remarques
Saint-Joachim 1783	calice hostie	miroir	crucifix	liserons	bouquets de feuilles de noyer	nombreux reliquaires à l'étage du couronnement
Ange-Gardien Saint-Laurent Île d'Orléans 1786-88 (autel de droite)	ciboire	bouquet		guirlandes de fleurs diverses	bouquets de feuilles diverses	
Ange-Gardien Saint-Laurent Île d'Orléans 1786-88 (autel de gauche)	calice	bouquet		guirlandes de fleurs diverses	bouquets de grosses fleurs	
Maskinongé 1790	modifiée	Bon Pasteur		feuilles de vignes, feuilles de cerisiers	4 niches à statues	colonnes torses

Troisième période 1790-1850 (suite)

Origine	Custode	Monstrance	Couronnement	Prédelles	Étage de la monstrance	Remarques
Sainte-Louise (L'Islet) St-Roch-des Aulnaies	modifiée 1792-1793	Bon Pasteur	petit dôme	guirlandes	niches à statues	cet autel a été modifié; on a ajouté une prédelle
Sainte-Famille Île d'Orléans (autel latéral) croisillon nord 1791	coeur enflammé		baldaquin	guirlandes	panneaux bouquets de feuillages	pour s'appareil-ler au maître-autel de style rococo des frères LeVasseur
Sainte-Famille Île d'Orléans (autel latéral) croisillon sud 1971	calice		baldaquin	guirlandes	panneaux bouquets de feuillage	pour s'appareil-ler au maître-autel de style rococo des frères LeVasseur

Troisième période 1790-1850 (suite)

Origine	Custode	Monstrance	Couronnement	Prédelles	Étage de la monstrance	Remarques
Saint-Damase de l'Islet (autel latéral) pour Saint-Roch des Aulnaies 1798	calice			guirlandes	panneaux bouquets de grosses fleurs	
Sainte-Louise (l'Islet) (autel latéral) 1795-98	calice et hostie	niche	hémicycle	guirlandes très simples	panneaux ornés de feuillages	
Bon-Pasteur de Québec (autre latéral) 1800	modifiée	niche	hémicycle surmonté d'une croix	guirlandes de fleurs et de fruits	panneaux ornés de bouquets	
Saint-Gérard de Ville-Bélair Ancienne-Lorette? 1800?	ciboire	niche à coquille		guirlandes de feuillage d'arbre fruitier	panneaux de feuillage	tabernacle mutilé

Troisième période 1790-1850 (suite)

Origine	Custode	Monstrance	Couronnement	Prédelles	Étage de la monstrance	Remarques
Charlesbourg Chapelle des Congréganistes 1808	ciboire avec hostie		socle à statues	enroulements	panneaux ornés de culots et de piédouches	
Notre-Dame de Québec 1797		Bon Pasteur	dôme à imbrications	refends motifs de feuilles d'oliviers	bas-reliefs (2) médaillons ovales trophées	fronton circulaire
Neuville Maître-autel 1800	calice	ostensoir	dôme à lanternon	refends et cartouches	niches reliquaires de forme ovale panneaux ornés de feuillage	fronton triangulaire
Neuville autel latéral gauche 1801?	ciboire	palmes entrecroisées		enroulements de feuilles d'acanthe et de fleurs	panneaux ornés de palmes entrecroisées	

Troisième période 1790-1850 (suite)

Origine	Custode	Monstrance	Couronnement	Prédelles	Étage de la monstrance	Remarques
Neuville autel latéral droit 1801?	ciboire	palmes entrecroisées		enroulements de feuilles d'acanthe et de fleurs	panneaux ornés de palmes entrecroisées	
Saint-Bernard de Dorchester C. 1810	Bon Pasteur		baldaquin			deux anges soutenant les plis du baldaquin
Beauceville 1815	Agneau gisant sur la croix	Bon Pasteur	dôme à imbrictions	refends cartouches de palmes entrecroisées	bas-reliefs (2) reliquaires de forme ovale trophées	
Louiseville C. 1820		Bon Pasteur	dôme à imbrications surmonté d'un lanternon	refends cartouches de palmes entrecroisées	bas-reliefs (2) reliquaires de forme ovale trophées	
Saint-André de Kamouraska 1825-1828		Bon Pasteur	dôme à imbrications surmonté d'un lanternon	refends cartouches de palmes entrecroisées	bas-reliefs (2) reliquaires de forme ovale trophées	

Troisième période 1790-1850 (suite)

Origine	Custode	Monstrance	Couronnement	Prédelles	Étage de la monstrance	Remarques
Carleton 1828		Bon Pasteur	dôme à imbrications surmonté d'un lanternon	refends cartouches de palmes et de feuilles de vignes	niches (2) reliquaires de forme ovale panneaux ornés de coeurs rayonnants	
Hôtel-Dieu de Québec 1830		ostensoir avec miroir	dôme à imbrications avec lanternon	refends cartouches palmes entrecroisées	niches (2) trophées	
Rimouski 1833	Agneau aux Sept Sceaux	médaillon anges nuages plats	dôme à imbrications	refends cartouches de palmes entrecroisées	niches trophées	on a fait disparaître le lanternon surmontant le dôme
St-Grégoire de Nicolet	ciboire encadré de draperies		baldaquin	enroulements de feuilles d'acanthe	panneaux ornés de feuillages	

CONCLUSION

L'étude de cette série de tabernacles illustre bien certaines tendances antérieures au milieu du XIXe siècle. Dans la région de Québec, notamment, les formes qu'adoptent les artisans amènent à des regroupements qui semblent correspondre à des périodes assez précises. Ces formes sont particulières à certains ateliers.

Il va de soi que nous n'avons pu étudier tous les tabernacles sortis des mains des sculpteurs avant 1850; la région de Montréal possède des oeuvres qui n'ont même pas pu être examinées. Mais nous pouvons quand même dégager certaines lignes de force.

Les autels sembleraient suivre la tendance générale de l'architecture intérieure pour laquelle ils ont été conçus. Quelques vestiges de la fin du XVIIe siècle rappellent par leurs lignes l'architecture monumentale française soit pour mieux s'intégrer au cadre, soit pour le remplacer au moment où l'église ne peut encourir les frais d'un retable.

Mais la majorité des oeuvres, surtout à l'époque des LeVasseur, sont des pièces sculptées destinées à l'ornementation. Les motifs décoratifs qu'on retrouve sur les autels devaient sans doute correspondre à ceux du retable, mais outre Neuville, il ne reste plus suffisamment d'ensembles pour prouver cette affirmation.

Avec les Baillairgé, revient cette tendance architecturale que l'on peut suivre au niveau de l'entablement soutenant le couronnement. Mais à Montréal, Quévillon poursuit avec les données du siècle précédent.

Les tabernacles nous restent en grand nombre. Même si beaucoup ont été détruits et mutilés, plusieurs, grâce à leur mobilité, ont pu échapper à la modernisation des paroisses riches. Nous retrouvons plusieurs oeuvres intéressantes dans l'arrière-pays alors que les retables des paroisses importantes ont été refaits complètement plusieurs fois pour s'adapter au goût du jour.

Nous avons laissé de côté l'étude iconographique qui aurait pu accompagner l'étude stylistique. Des recherches restent à faire de ce côté pour éviter l'échafaudage de théories peu vérifiables. D'autre part, à titre comparatif, il faudrait aussi faire l'analyse d'autels français des mêmes époques pour en voir l'évolution, parallèlement aux tabernacles d'ici. À titre indicatif, nous présentons le tabernacle d'une église de la

Haute-Garonne, qui permettra au lecteur d'identifier certaines parentés (photo 39).

Cette étude, même si elle n'est pas complète, pourrait certainement servir à une prise de conscience de la richesse de certaines oeuvres qui, à cause du renouveau liturgique ou de l'indifférence des fidèles, ont été reléguées à l'arrière-plan. Certains tabernacles se retrouvent en morceaux dans les caves et les greniers des églises, d'autres sont démolis pour être vendus pièce par pièce aux amateurs d'insolite, d'autres sont massacrés sous prétexte de faire moderne. Et pourtant il s'agit d'oeuvres d'art.

Il est important que l'Inventaire des Oeuvres d'Art soit remis à jour de manière à les protéger en signalant leur existence et en attirant l'attention des personnes à qui ces oeuvres d'art sont confiées sur leur qualité et leur importance.

Ces tabernacles peuvent, à leur manière, contribuer à préserver l'identité d'une collectivité.

RÉFÉRENCES ET NOTES

1. Barbeau, Marius, *Trésor des Anciens Jésuites,* Ottawa, Musée National du Canada, 1957.
2. Tapié, Victor-Lucien, *Baroque et Classicisme,* Coll. Civilisations d'hier et d'aujourd'hui, Paris, Plon, 1957.
3. Archives Judiciaires de Québec, Minutier de Mtre F. Genaple, 24 décembre 1693. Marché entre Denys Mallet et Louis de Buade, comté de Frontenac.
4. Morrisset, Gérard, *Les églises et le trésor de Lotbinière,* Québec, Charrier et Dugal, 1953, Collection Champlain.
5. Les Ursulines de Québec, Actes capitulaires, 1686 à 1802, p. 86.
6. Archives Judiciaires de Québec, Minutier de la Cétière, testament de Nicolas Pré, 25 décembre 1702.
7. Voir Charbonneau, Hubert, et Lagacé, Yolande, *Cartographie du premier découpage territorial des paroisses du Québec,* 1721-1722 in la Revue de Géographie de Montréal, Vol. XXVII, no 1, Les Presses de l'Université de Montréal, 1973.
8. Au sujet de cette famille et de sa généalogie voir: Barbeau, Marius, *Les LeVasseur, maîtres-menuisiers, sculpteurs et statuaires,* (avec un tableau généalogique par le R.P. Archange Godbout o.f.m.), Montréal, Éditions Fides, 1948.
9. Hôpital Général, Livre de comptes, Vol. I, fol. 133b.
10. Pour voir ce qui se faisait en France à cette époque on aurait intérêt à examiner les planches 75-76-77-78-79-82-83-92-104-105-106-107 du livre de Fiske Kimball, *Le style Louis XV, origine et évolution du rococo,* publié à Paris aux Éditions A. et J. Picard en 1949.
11. Pour les renseignements sur Jean-Innocent Valin, nous nous en sommes tenus au Fichier des Artisans de l'Inventaire des Oeuvres d'art. Des recherches plus poussées seraient nécessaires pour réhabiliter un honnête artisan qui a eu la désavantage de produire ses pièces principales en même temps que les LeVasseur.
12. Voir Traquair, Ramsay, *The old architecture of Québec,* (A story of the buildings erected in New France from the earliest explorers to the middle of the nineteenth century), Toronto, the McMillan Company of Canada Ltd, 1947.
13. Hudon, P.-H., *Rivière-Ouelle 1672-1972,* Comité du centenaire, Rivière-Ouelle, 1972, p. 152.
14. Juchereau et Duplessis, *Les Annales de l'Hôtel-Dieu de Québec,* 1636-1716, Québec, Hôtel-Dieu de Québec, 1939.
15. Ce tabernacle est placé dans la chapelle funéraire de Mgr de Saint-Vallier. Pour des renseignements plus complets relatifs au travail de Pierre Émond à l'Hôpital Général, consulter l'ouvrage de Ramsay Traquair, op. cit.
16. Saint-Joachim (Montmorency) Livre de comptes I, 1765 à 1783.
17. Quittance donnée par Pierre Émond à M. Gravé, conservée aux Archives du Séminaire de Québec.

18. Ces trois tabernacles ont été dorés par les religieuses de l'Hôpital Général. Livre de comptes II (1789-1921) Saint-Pierre Île d'Orléans, 1795. Livre de comptes III (1789-1921) Saint-Pierre Île d'Orélans, 1800.

19. Livre de comptes I (1765-1783), 1783. Livre de comptes II (1784-1814), 1784. Nous retrouvons le dessin préparatoire à l'ornementation d'une prédelle du tabernacle de Saint-Joachim aux Archives du Séminaire de Québec dans un dossier consacré aux LeVasseur, polygraphie VI no 37 à 37 C.

20. Livre de comptes II, 1786, 35 et 39. Ces tabernacles ont été retrouvés par Gérard Morrisset à l'église de l'Ange-Gardien. Cette fabrique les avait acquis en 1802. L'autel latéral gauche a été mutilé.

21. Journal de François Baillairgé, 22 juin et 24 octobre 1791.

22. Journal de François Baillairgé, 12 août 1793. Ce tabernacle fabriqué pour Saint-Roch-des-Aulnaies a été donné à Sainte-Louise en 1857.

23. Les archives de la Province conservent les plans et devis de ces tabernacles à colonnes torses exécutés par Jean Baillairgé et son fils Pierre-Florent vers 1790.

24. L'Inventaire des Oeuvres d'Art rapporte que, dans un manuscrit de l'abbé Joseph Gagnon, il est dit:
«Mr. Florent Baillairgé a fait les tabernacles des deux chapelles du temps de Mr. Gatien (1791). Celui du Sacré-Coeur est vraiment ridicule, on n'a jamais vu de coeurs comme ceux-là.»
Fait à remarquer, ces autels latéraux ont été conçus de manière à s'appareiller au tabernacle central qui date de l'époque des LeVasseur comme nous l'avons vu au chapitre précédent.

25. L'Inventaire des Oeuvres d'Art le fait provenir de Saint-Roch-des-Aulnaies, paroisse pour laquelle Pierre-Florent Baillairgé a travaillé en 1798.

26. D'après l'Inventaire des Oeuvres d'Art, ce tabernacle proviendrait de Saint-Roch-des-Aulnaies et aurait été sculpté de 1795 à 1798 par Jean et Pierre-Florent Baillairgé et donné à Sainte-Louise en même temps que le tabernacle central, c'est-à-dire en 1857. Cette pièce serait à comparer au tabernacle de la chapelle des Congréganistes de la paroisse de Charlesbourg exécuté en 1808.

27. L'Inventaire des Oeuvres d'Art le dit provenir de l'ancienne église de Château-Richer, l'attribue au seul Pierre-Florent Baillairgé et le date de 1800.

28. L'Inventaire des Oeuvres d'Art le dit provenir de l'Ancienne-Lorette et le date des environs de 1800. Les livres de comptes de l'Ancienne-Lorette ayant été détruits, les preuves de la véracité de cette attribution manquent.

29. Journal de François Baillairgé, 16 May (1797):
«Le 8, convenue hier, avec Mr le Curé et les Marguilliers de notre paroisse de Québec, de leur faire un tabernacle; suivant le dessein qu'ils ont accepté de moi, et qu'ils me laissent; à raison de cinquante louis et cinq chelins, en outre six louis pour ajouter deux lanternes; la dite somme me sera payer en quatre fois, à mesure que l'ouvrage avancera; et je dois la livrer par morceaux détachez pour quils la puissent faire dorer à leur fraix; et de faire en sorte que les derniers morceaux puissent être livrez assez tot pour qu'il puissent sen servir dans un an.»

30. À la demande de la Fabrique, François Baillairgé aurait modifié les lanternons qu'il avait prévus à l'orgine, de manière à les transformer en reliquaires. On peut croire qu'il les avait d'abord conçus semblables à ceux qui surmontent le tabernacle de Beauceville.

31. Orme, Philibert de l', *Traité d'Architecture,* Paris, Frédéric Morel, 1568.

32. Archives Judiciaires de Québec. Minutes de Maître Joseph Planté No 2750, 8 juillet 1801, Marché entre Sieur François Baillairgé et Sr Frs Larue, Marguillier de la Pte-aux-Trembles.

33. Ile Livre de comptes (1794 à 1864) 1801-1802. Contrairement à ce que nous avons cru tout d'abord, les autels latéraux seraient antérieurs au maître-autel. La résolution se rapportant au maître-autel est datée du 6 juin 1802.

34. Voir Abbé Demers, *Notes sur la paroisse de St-François de la Beauce,* Québec, 1891, p. 77.

35. Ce tabernacle fut détruit dans l'incendie de l'église de Louiseville en 1925 en même temps que les livres de comptes qui auraient pu confirmer son attribution. Nous n'en conservons qu'une photographie prise avant 1917.

36. Livre de comptes de Saint-André de l'Islet du portage 1791-1867.

37. Ce tabernacle est attribué à François Baillairgé et daté de 1828 par L'Inventaire des Oeuvres d'Art. De fait il pourrait tout aussi bien s'agir d'un tabernacle «réparé» reçu en don le 30 décembre 1800, que du tabernacle mentionné au livre de comptes en 1828. Voir *«Bancs et comptes de l'église de Carleton»* 1795 et suiv. jusqu'à 1830.

38. L'Inventaire des Oeuvres d'Art dit qu'il provient probablement de Sainte-Marie de Beauce. Rappelons que Sainte-Marie de Beauce a reçu au cours des années plusieurs pièces en provenance de la Basilique de Québec et du Petit Séminaire. C'est ce qui nous donne à penser que ce tabernacle aurait pu avoir servi lors d'une cérémonie particulièrement grandiose dans la Capitale.

39. Archives Judiciaires de Québec. Minutier de Maître Ant.-Ab. Parent, notaire à Québec. Devis et marché en date du 7 juillet 1829, no 5186.

40. «Documents paroissiaux, délibérations de fabrique, comptes des recettes et dépenses, 1827 — 30, 1827 — 53», Marché pour le tabernacle 1833, p.14.

BIBLIOGRAPHIE

Sources manuscrites

Archives du Petit Séminaire de Québec.

Inventaire des Oeuvres d'Art
Dossiers de toutes les paroisses mentionnées.

Ouvrages généraux

En collaboration, *Beaumont,* 1672-1972, Beaumont, Le comité des fêtes du tricentenaire, 1972, 144 p.

En collaboration, *L'Église de l'Islet,* 1768-1968, L'Islet, Conseil de la Fabrique de l'Islet. (S.d.) 115 p.

En collaboration, *Trésors des Communautés religieuses de la ville de Québec,* Québec, Ministère des Affaires Culturelles, 1973, (Catalogue)

Aviler, (Augustin Charles d') *Cours d'architecture...* Paris, Mariette, 1720.

Barbeau, (C.-Marius), *La Confrérie de Sainte-Anne,* Ottawa, La Société Royale du Canada, 1945, 18 p.

Barbeau, (Marius), *Les LeVasseur, maîtres-menuisiers, sculpteurs et statuaires,* Montréal, Fides, 1948.

Barbeau, (Marius), *Trésor des Anciens Jésuites,* Ottawa, Musée National du Canada, 1957, 242 p.

Hautecoeur, (Louis), *Histoire de l'architecture classique en France,* Paris, Auguste Picard, 1942.

Hudon, (Paul-Henri), *Rivière-Ouelle,* 1672-1972, Rivière-Ouelle, Comité du Centenaire, 1972, 496 p.

Kimball, (Sidney Fiske), *Le style Louis XV: origine et évolution du rococo,* Paris, A. et J. Picard, 1949.

Lavallée, (Gérard), *Anciens ornemanistes et imagiers du Canada français,* Québec, Ministère des Affaires Culturelles, 1968, 98 p.

Mâle, (Émile), *L'art religieux après le Concile de Trente,* Paris, Colin, 1951.

Morrisset, (Gérard), *Coup-d'oeil sur les arts en Nouvelle-France,* Québec, Charrier et Dugal, 1941, Coll. Champlain, 170 p.

Morrisset, (Gérard), *Les églises et le trésor de Lotbinière,* Québec, Charrier et Dugal, 1953, 70 p.

Morrisset, (Gérard), *Philippe Liébert,* Québec, Champlain, 1943, 32 p.

Noppen, (Luc) et Porter, (John R.), *Les Églises de Charlesbourg et l'architecture religieuse du Québec,* Québec, Ministère des Affaires Culturelles, 1972, 132 p.

Orme, (Philibert de l'), *Traité d'Architecture . . .,* Paris, Frédéric Morel, 1568.

Roy, (Pierre-Georges), *L'île d'Orléans,* Commission des Monuments Historiques de la Province de Québec, Québec, Ls.-A. Proulx, Imprimeur du Roi, 1928, 505 p.

Tapié, (Lucien-Victor), *Baroque et classicisme,* Paris, Plon, 1957, coll. Civilisation d'hier et d'aujourd'hui.

Teyssèdre, (Bernard), *L'art au siècle de Louis XIV,* Paris, Le Livre de Poche, 1967.

Traquair, (Ramsay), *The old architecture of Québec,* Toronto, the Macmillan Company of Canada Ltd, 1947, 324 p.

Trudel, (Jean), *Un chef d'oeuvre de l'art ancien du Québec, la chapelle des Ursulines,* Québec, Presses de l'Université Laval, 1972.

Trudel, (Jean), *Profil de la sculpture québécoise, XVIIe-XIXe siècle,* Québec, Musée du Québec, 1969, 140 p. (catalogue).

Trudel, (Jean), *Sculpture traditionnelle du Québec,* Québec, Ministère des Affaires Culturelles, 1967, 166 p. (catalogue)

Vaillancourt, (Émile), *Une maîtrise d'art en Canada,* Montréal, Ducharme, 1920, 112 p.

Vignole, (Jacques Barrozio), *Nouveau livre des cinq ordres d'architecture . . .,* Paris. Le Père et Avaulez, 1776, 80 p.

Wölfflin, (Heinrich), *Renaissance et baroque,* Paris, Le Livre de Poche, 1961.

Articles

Morrisset, (Gérard), *François Baillairgé 1759-1820, le sculpteur,* in Technique, mars 1949, p. 90.

Morrisset, (Gérard), *Pierre-Noël LeVasseur (1690-1770),* in La Patrie, 9 novembre 1952.

Morrisset, (Gérard), *Sculpture et arts décoratifs,* in Vie des Arts, no 26, printemps 1962.

Porter, (John R.), et Désy, (Léopold), *Deux facettes du mimétisme en sculpture ancienne du Québec,* in Québec-Histoire Vol. II, no 2, hiver 1973.

Porter, (John R.), et Désy (Léopold), *L'ancienne chapelle des Récollets de Trois-Rivières* in Bulletin de la Galerie Nationale du Canada, no 18, 1971.

TABLE DES ILLUSTRATIONS

1. Tabernacle de la chapelle commémorative, Ste-Anne-de-Beaupré (I.O.A.)

2. Tabernacle de l'Ange-Gardien (I.O.A.)

3. Tabernacle de la chapelle des Soeurs du Bon-Pasteur du Québec (I.O.A.)

4. Tabernacle de la chapelle des Ursulines de Québec (I.O.A.)

5. Tabernacle de St-Gérard de Ville-Bélair (I.O.A.)

6. Tabernacle de St-Onésime (Kamouraska) (I.O.A.)

7. Tabernacle de Jacques Leblond de Latour, Musée du Séminaire de Québec. (I.O.A.)

8. Tabernacle de St-Étienne de Lévis (I.O.A.)

9. Tabernacle de St-Jean-Port-Joli (I.O.A.)

10. Tabernacle de l'Hôpital Général de Québec (I.O.A.)

11. Détail du tabernacle de l'Hôpital Général de Québec (I.O.A.)

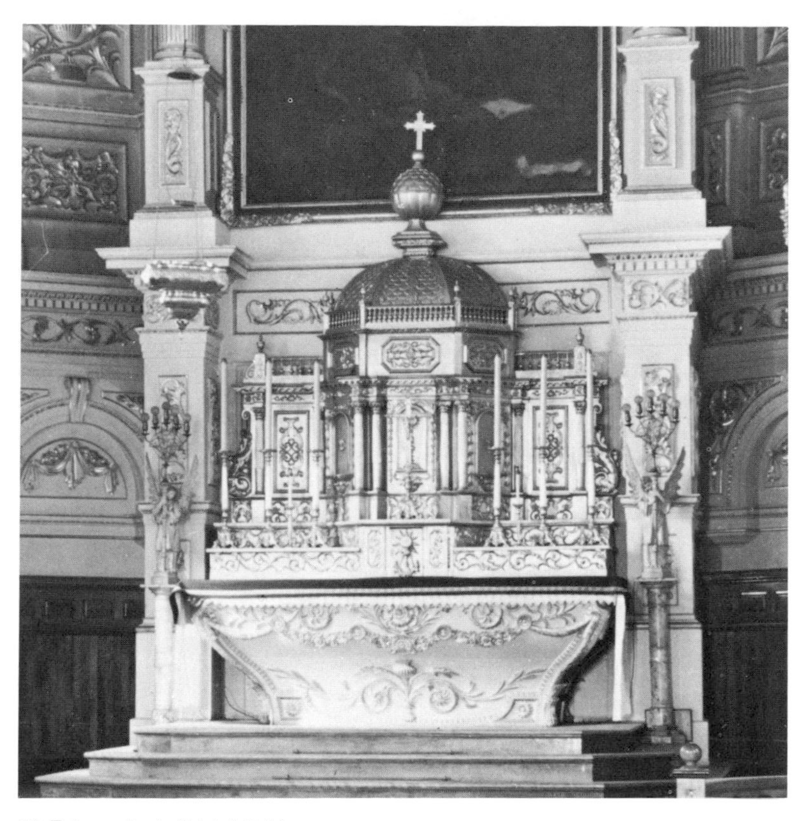

12. Tabernacle de l'Islet (I.O.A.)

13. Tabernacle de Grondines (I.O.A.)

14. Tabernacle de Sainte-Famille de l'Île d'Orléans (I.O.A.)

15. Tabernacle de la chapelle des Jésuites, Musée du Séminaire de Québec, (I.O.A.)

16. Tabernacle de St-François de l'Île d'Orléans (I.O.A.)

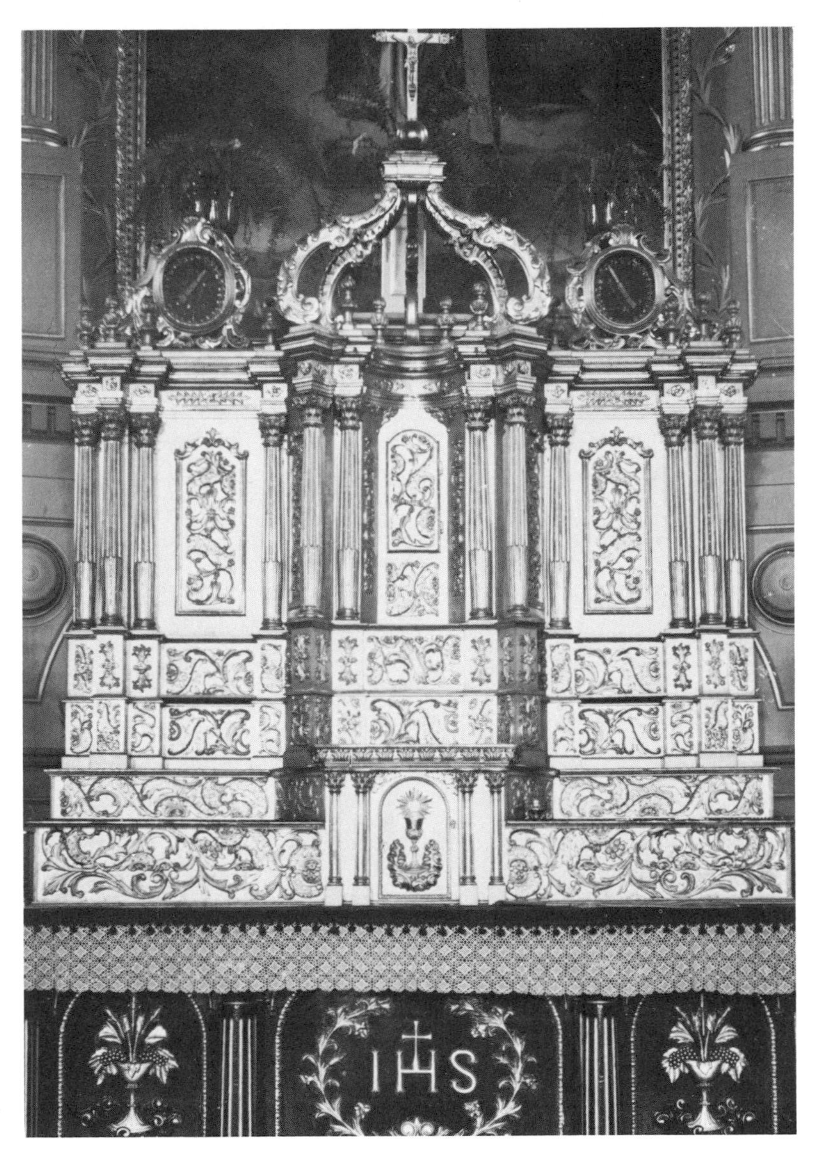

17. Tabernacle de Montmagny (I.O.A.)

18. Tabernacle des Écureuils (I.O.A.)

19. Tabernacle de Jean Valin, Musée du Séminaire de Québec, (I.O.A.)

20. Tabernacle latéral de la chapelle commémorative de Ste-Anne-de-Beaupré (I.O.A.)

21. Tabernacle de Boucherville (I.O.A.)

22. Tabernacle de Berthierville (I.O.A.)

23. Tabernacle de Rivière-Ouelle (I.O.A.)

24. Tabernacle latéral dit du St-Coeur-de-Marie, Hôpital Général de Québec (I.O.A.)

25. Tabernacle de St-Joachim (Montmorency) (I.O.A.)

26. Autel latéral droit de l'Ange-Gardien (I.O.A.)

27. Autel latéral gauche de l'Ange-Gardien (I.O.A.)

28. Tabernacle de Maskinongé (I.O.A.)

29. Tabernacle de Ste-Louise de l'Islet (I.O.A.)

30. Tabernacle de la basilique Notre-Dame de Québec. (Archives de la Paroisse Notre-Dame de Québec)

31. Tabernacle de Neuville (I.O.A.)

32. Tabernacle de Beauceville (I.O.A.)

33. Tabernacle de Louiseville (I.O.A.)

34. Tabernacle de St-Bernard de Dorchester (I.O.A.)

35. Tabernacle de la chapelle de l'Hôtel-Dieu (I.O.A.)

36. Tabernacle de la Cathédrale de Rimouski (I.O.A.)

37. Custode appartenant à l'Hôtel-Dieu (I.O.A.)

38. Tabernacle de St-Grégoire de Nicolet (I.O.A.)

39. Tabernacle de Palaminy (Haute-Garonne) (Caisse nationale des Monuments historiques)

TABLE DES MATIÈRES

COLLECTION CIVILISATION DU QUÉBEC

Titres parus:

Série ARCHITECTURE

Maisons et églises du Québec (XVIIe, XVIIIe et XIXe siècles)	Hélène Bédard
Les églises de Charlesbourg	Luc Noppen et John R. Porter
La fin d'une époque Jos.-P. Ouellet, architecte	Luc Noppen, Claude Thibault, Pierre Filteau
Comment restaurer une ancienne maison québécoise	Georges Léonidoff

Série ARTS ET MÉTIERS

La poterie de Cap-Rouge	Michel Gaumond
Jean-Baptiste Roy-Audy	Michel Cauchon
Les tabernacles anciens du Québec (des XVIIe, XVIIIe et XIXe siècles)	Raymonde Gauthier

Série CULTURES AMÉRINDIENNES

Carcajou et le sens du monde (récits montagnais-naskapi)	Rémi Savard
Tshakapesh (récits montagnais-naskapi)	Madeleine Lefebvre

Série PLACE ROYALE

La Place Royale, ses maisons, ses habitants	Michel Gaumond
Place Royale, Its Houses and Their Occupants	Michel Gaumond
À la découverte du passé (fouilles à la place Royale)	Michel Lafrenière et François Gagnon

Série HISTOIRE

Le siège de Québec (1759)	par trois témoins